アートプロジェクトの
ピアレビュー

対話と支え合いの評価手法

［監修・編著］熊倉純子
［編著］槇原 彩
［特別寄稿］源 由理子、若林朋子

水曜社

はじめに
——アートの現場を幸せにする評価とは？

熊倉純子 ［東京藝術大学大学院国際芸術創造研究科教授］

　アートの現場のみなさん、「評価」と聞くと、なんだか心が重くなりますよね。

　まず学校の成績表を思い出して気が重くなるのが「評価」という言葉です。そもそも文化活動に成績表なんてふさわしくないと思われますが、では、成績表ではない評価の方法はあるのでしょうか？

　成績をつける前に、自らの活動のどこにどのような特徴があるのか、鏡に映してみませんか？　それに適しているのが、本書で紹介するピアレビューという方法です。

　昨今は、文化事業の分野でも「成績表」が求められる傾向にあります。政策など、非営利の分野で注目を集める成績表は、「社会的インパクト評価」と呼ばれるもので、この評価のための具体的な手法が「ロジックモデル」です。ロジックモデルとは、施策の論理的な構造を明らかにする説明図で、投入される資源（インプット）に対して、どのような活動が実施され（アウトプット）、その結果どのような成果（アウトカム）が得られるのかを図式化します。事業の中長期計画を考えるには有効な手法ですし、今後、行政の補助金や財団の助成金など、公的資金を得て活動をするにはこうした成果目標を構造化した計画がますます求められるようになると思われます。

しかし、ロジックモデルを考えるには、自分たちの事業のさまざまな側面やさまざまな要素を価値化する言葉をもつことが必須です。そしてアートの現場は、この「客観的な言葉で活動を価値化」する作業が案外苦手のようです。たとえば、かつて本書のピアレビューの試みに参加してくれた3つのプロジェクトのスタッフたちとロジックモデルを作成する試みをしてみましたが、作業は大混乱に陥りました。現場経験が10年にも及ぶ熟練の現場スタッフたちですが、経験が豊富であればなおさらのこと、いろいろな思いが言葉になってあふれ出て収拾がつきません。アートプロジェクトの現場は、たとえ小さな活動でも複雑な価値構造がからまりあっていて、アーティスティックな発想で直感的に事業を決めている現場ほど、ロジックモデルの図式にあてはめ、単純化するのは困難だということを痛感した経験です。また、さまざまな価値が微妙に揺らぎつつ錯綜するアートの現場を単純な図式に落とし込む作業はだんだん虚しく感じられ、雰囲気がどんよりとしてしまいました。これでは現場は困惑し不幸になるばかりです。

　この苦い経験を踏まえて思いついたのが、今回のピアレビューという方法です。私と学生たちが長年お世話になっている「取手アートプロジェクト」「谷中のおかって」「アートアクセスあだち 音まち千住の縁」の3つの現場が、それぞれ自分たちの活動の映し鏡になってくれる仲間（＝ピア）を探し、映し鏡のなかに自分たちのチャームポイントを探して、価値を認識する端緒をつかもうという試みです。

大阪の「應典院」をピアに選んだ取手アートプロジェクトは、長年の蓄積の成果を、もやっとながらも包括的にとらえることができました。子ども向けのワークショップで大先輩の「芸術家と子どもたち」をピアに選んだ谷中のおかっては、ワークショップで無意識に選んでいた振る舞いのなかに、自分たちらしさを認識することとなりました。「TERATOTERA」にピアをお願いした、アートアクセスあだち 音まち千住の縁は、サポーターという要素に絞って比較をすることで、自分たちの活動の水面下の変遷を明確に認識することができました。

　評価なんて面倒で敷居の高いものと感じて敬遠していた現場のみなさん、とりわけ小さなアートプロジェクトや非営利のマイクロなアートスペースに携わる人たちに、ぜひ本書を手にとっていただければ幸いです。

くまくら・すみこ

東京藝術大学大学院国際芸術創造研究科教授。パリ第十大学卒、慶應義塾大学大学院修了（美学・美術史）。企業メセナ協議会を経て、2002年より東京藝術大学音楽環境創造科で教鞭をとる。アートマネジメントの専門人材を育成し、取手アートプロジェクト、アートアクセスあだち 音まち千住の縁など、地域型アートプロジェクトに学生たちと携わりながら、アートと市民社会の関係を模索し、文化政策を提案する。著書に『アートプロジェクト──芸術と共創する社会』（監修／水曜社、2014）、『社会とアートのえんむすび1996-2000──つなぎ手たちの実践』（共編／ドキュメント2000プロジェクト実行委員会、トランスアート、2001）、『〈地元〉の文化力──地域の未来のつくりかた』（共著／苅谷剛彦編著、河出書房新社、2014）など。

目次

ピアレビューとは?

「ピア」とは「同僚や仲間」のこと。
ピアレビューとは、仲間を見つけて
互いに評価をする方法です。

ピアレビューをはじめよう！

ピアレビューのすすめ

若林朋子 [プロジェクト・コーディネーター／立教大学大学院21世紀社会デザイン研究科特任准教授]

　筆者がピアレビューに可能性を感じるようになったきっかけは、企業メセナ（芸術文化支援）の担当者だった。意外にも、メセナの現場では、ビジネスでは競合する企業の担当者同士で悩みや情報を分かち合い、真剣な表情で話し込む様子を頻繁に目にした。ライバル社でも、良き仲間、大事な相談相手なのだった。ある時は、ホール開館を控えた企業のメセナ担当部長が、ベンチマークと称して他社のロビーコンサートを熱心に見学していた。競合社を指標に自社の特徴や課題を分析して、相手の優れた取り組みは取り入れて経営改善するベンチマークの発想で、メセナにも臨んでいた。こうした、同種の活動を行う人からの助言や指摘、類似の現場に照らして自分の活動を改善する機会こそが、切に必要とされ、かつ有効な評価の方法なのではないかと直感した。事情をよく知る仲間の目を借りて、自己の強みや課題を知り、活動を改善・更新する方法ならば、評価に対するアレルギー反応が強いアート分野でも馴染みやすいのではとの思いは、今も変わらない。

ピアレビューとは

　あらためて「ピアレビュー（peer review）」とは、一言でいうならば「同類の他者による検証」である。仲間、同輩、同等の者（＝ピア）が、当事者の実践の道のりを再度たどって点検したり、講評したりすること（＝レビュー）。より詳細には、「当事者がよりよい成果物を生み出せる

ように、専門性や能力、技術などが同等・類似の他者が、現状の成果物やパフォーマンスの状況を調べて課題や欠陥などを見つけ、改善と質向上の機会を提供する検証」のことをいう。こう書くと仰々しいが、実は案外私たちは、迷ったときやいざという大事な場面で「ねえねえ、これどう思う？」などと信頼できる仲間の意見を求め、日常的に小さなピアレビューを実践していたりする。

　芸術・文化の現場ではまだ馴染みがないが、普及している分野もある。例えば、学術研究でピアレビューといえば、論文査読のことである。学会誌やジャーナルへの投稿論文に対し、同じ研究分野の専門家が"査読者"として研究内容の妥当性や不正の有無などを検証する。個々の論文の質、ひいては研究分野全体の質向上が目的である。また、科学技術分野、とりわけソフトウエアやシステムの開発過程などでは、製品のバグや欠陥を洗い出し、品質向上を図るために、さまざまな方法で綿密に行われる。医療分野でも、診断結果のダブルチェックや情報管理、技術の相互検証として、複数の医療従事者によるピアレビューが行われている。

　いずれの分野でも、専門性や高い精度が問われる成果の確認において、同類他者だからこその視点をうまく活用している。

ピアレビューの特徴と利点

　事業評価や成果物の検証には、さまざまな方法がある。誰が評価・検証するのかという観点でみると、「内部評価（internal evaluation）」と「外部評価（external evaluation）」に大別され、さらに5つほどに分類できる（表1）。ピアレビューはどのような特徴があるのだろうか。

　自己評価（self-evaluation）は、身近に検証材料が豊富にあり、失敗も成果も当人がよくわかっているので、実情を反映した評価結果を導き

表1　評価者による評価手法の分類と特徴

評価者	評価の手法	利点	課題
内部	自己評価 内部評価	・現場の詳細情報を反映可能 ・能動的に評価に取り組める	・自己に不利な課題が抽出されにくい ・客観性を欠くことがある
外部	第三者評価	・より客観的な検証が可能 ・多様な視点がもたらされる	・現場の事情が反映されにくい ・当事者が結果を自分事と受け止めにくい
	ピアレビュー	・現場事情にも詳しい客観評価となる ・能動的に評価に取り組める ・当事者が結果を受けとめやすい	・レビュアー（ピア）の選定、確保の難しさ
	参加型評価	・多様な視点を把握できる	・実施時のファシリテーションが難しい
共	合同評価	・成果や改善点を共有できる ・良好な関係の維持や改善に効果	・本音が出にくいことがある

出せる良さがある。一方、往々にして当たり障りのない結論になりがちである。自分たちを声高に褒めにくく、かといって悪い評価もできない。良い評価だけでは自己満足とみなされてしまう。その点、ピアレビューは同等・類似の他者による外部評価のため客観的な視点を確保しやすい。外からの視点で成果と課題を冷静に指摘することが可能であり、本人たちが日頃気づいていなかった意義や価値、見過ごしてしまっている課題にも気づいたりする。自分を表現する新しい語彙をピアから学ぶことも期待できる。

　外部評価である第三者評価（third-party evaluation）は、残念ながら、現場に詳しくない有識者に一度きりの会議で評価されてしまうようなこともある。しかしピアレビューは、同じような経験や問題意識を分かつことのできる"類似の他者"による検証のため、現場の切実な思いはある程度理解した上での課題や強みの指摘となる。大所高所からではな

いピア＝仲間からの評価は、厳しい指摘でも素直に受けとめやすく、プロジェクトの改善・更新に必要な気づきを得やすい。また、レビューの過程におけるピアとの交流や議論自体が、当事者にとっては得難い時間にもなる。これらはピアレビューを採用する大きなメリットといえる。

　来館者や地元住民、支援者、受益者、協力者など、当該事業のステークホルダー（利害関係者）による「参加型評価（participatory evaluation）」も多様な視座を期待できる手法だが、検証過程で多数の評価主体を束ねていくファシリテーション如何で、評価の結果が左右されやすい。ピアレビューも初期設計によって結果の手ごたえは強弱があるだろうが、基本的には似た者同士で、一方向あるいは相互に検証するので、大勢の評価主体の複雑な関係性をファシリテートする難しさはない。

　以上のように、ピアレビューは、内部評価と外部評価双方の利点を複数あわせ持っている評価手法だといえる。課題があるとすれば、ピアを選定する難しさである。団体規模、歴史、芸術ジャンル、地域性、事業内容、予算、ウェブサイトのページビュー、職員の数や専門性——どのような点において同等・類似とみなすのか。同等・類似の他者探しは意外と難しいと選定段階で気づくだろう。しかし、ピアを探す過程もまた、自己を見つめ直す時間でもある。

ピアレビューの実践

　芸術・文化領域におけるピアレビューの方法論は、システム開発のそれと比べると、これといって確立したものはない。実践事例も少ないのが現状である。各地のアートプロジェクトが参加して開催された「アサヒ・アート・フェスティバル」（AAF、2002〜16年）では、AAFメンバーが検証委員となり（AAFでは評価という言葉は使わなかった）、他のAAF参加地域に赴いて企画のモニタリングをしていた。相互検証で

はないが、同じフェスティバルに参加する仲間によるピアレビューが継続された数少ない事例である。

　東京藝術大学「&Geidai」では、2017年度からピアレビューの研究と実践に取り組みはじめ、6団体3組が実際に行った。「アートプロジェクトの評価を考えたい」「どんな方法があるの？」「ピアレビューってどうやるの？」からの模索であった。実践の詳しい内容は本書の報告ページに譲るが、以下は、筆者が勉強会で伝えたピアレビューの実践方法である。

①なぜ、何のために、結果をいつ使うか？

　アート領域では確立されたピアレビューの方法論はない。自分たちの手で、自分たちの方法論を模索してつくることになる。むしろ、そうした創造的作業が、評価結果により強い手ごたえを与える。

　ピアレビューに限らないが、評価から最大限の成果を得るために最も重要なのは、自分たちの納得いく方法で取り組むこと。借り物の評価方法・指標は、形式主義に陥りがちで、結局自分たちのものにできず、苦しむことになる。なぜ、何のために評価して、結果をどのようにいかしたいのか徹底的に考え言語化しておく。切実な動機が根底にある「使うための評価の設計」が重要である。ピアレビューも、結果の現場実装を念頭に、活用する前提で臨むことが肝要である。

②ピアレビューの進め方

　ピアレビューは定型のフレームワークが決まっていないからこそ、自由にカスタマイズして、自分が真に求めていることを得られるよう設計していくことができる。おおまかな段取りとして、p.18〜19の①〜⑪の内容を検討しておくとよいだろう。

「&Geidai」の相互ピアレビューの実践例では、たとえば「②全体テーマの設定」は、「アートプロジェクトのありようの解明」であった。場の力、人材の関わり方、見えない価値など、良い場にするための共通要因を探りたいということがピアレビューの大きなテーマだった。また、「④検証項目・内容の設定」では、相互に洗い出す項目として、「話を聞く前後のイメージの違い、共通点・相違点、対応策（広報・予算）、自分たちには見えていない可能性、社会にもたらす価値、強みと弱み、事務局員の負荷、プロジェクトの意味（意義）をどう感じているか、将来（終わり）をどう考えているのか」などが挙がった。「⑦提供リソースの設定」では、「事務局体制の変遷、事業予算、事業計画書、収支報告書、助成金申請書、ボランティアなどの関係図、組織図、団体プロフィール」などを互いに提供し合うことを確認した。

　実際にレビューを実践する過程で追加・変更もあるだろうが、計画段階で自分（たち）の行うピアレビューのイメージを当事者と相手（ピア）で共有しておくことが大事である。

③ピアレビュー成功のために

　芸術・文化活動のピアレビューは、評論でも間違い探しでもなく、今後をよりよくしていくための検証である。初めての相手でも、親しい仲間でレビューし合う場合でも、いいかたちで実践するために、哲学対話における「対話のルール」のような、進行上の決め事を設定しておくことも有効であろう。筆者は、ディスカッション等において「存在否定、人格（事業）否定につながる言葉は使わない」ことを提案している。

ピアレビューのすすめ

　2018年2月に開催された「&Geidai」のピアレビュー実践報告会では、相互検証型のピアレビューを実施した3組6団体から、実践方法の共有と感想が述べられた。大きく3つの成果が見て取れた。

　まずは、「同じ地平に立つ"類似の他者"だからこそ見えることがある」ということ。当事者が気づいていなかった価値を指摘してもらったり、長時間にわたるディスカッションのなかで思いがけない提案が飛び出したり、自分たちにはなかった言葉で価値を言語化してもらったりしたという。また、鋭くも温かい核心をつく指摘もあったそうだ。これらはすべて、同種の活動をしている相手だからこそのレビューだという感想がよく聞かれた。

　そして、そうしたピアからの指摘は、悩みを抱えて、日々孤軍奮闘する当事者にとっての励みとなり、今後の具体的な道標になったという。レビュアー（ピア）の言葉に「感動した」というコメントもあった。他の評価手法では、評価される側からあまり聞くことのない感想である。

　また、評価結果を、自分事として捉えることができるという趣旨の発言も多数あった。

　ピアレビュー体験者の感想はいずれも、ピアレビューという評価方法を肯定的にとらえるものであった。これは単にピアレビューという評価手法が優れていることを意味するのではなく、むしろ、自ら考えた方法で評価に臨んだ手ごたえから来るものであろう。自分で選んだピアとともにレビューの進め方を検討し、現場を訪ね合い、対話をベースに価値を言語化したことによって、結果の積極的な肯定につながったといえる。ピアレビューは当事者性が高く、評価結果を今後の活動に具体的につなげやすいことが確認できた。「よりよい活動のための使える評価」として、芸術・文化領域において先駆的な実践例となっ

ていくだろう。
　最後に、今回の「&Geidai」のピアレビューに参加した大阪・應典院の秋田光軌さんの、報告会での発言を引用したい。

　　「自分のことは自分が一番よく知っているというのは思い込み。ありのままの自分を見ようとしたら他者＝鏡が必要である。互いが互いを鏡にしながら、自分の足りないところ、自信につながることを発見することは意義がある」

　ピアレビューというのは、自分自身（あるいはプロジェクト、組織など）を深く見つめ直すために、鏡に映し出す作業なのだ。"類似の他者"を知ることは、レビューされる側も、する側にとってもよい機会である。検証結果（気づき）の共有は、アート業界全体の底上げにもつながっていくのではないか。よく映る鏡を得て、現場の悩み解決につなげる実践が、芸術・文化の領域でも今後少しずつ広がっていくよう、引き続き筆者自身も研究と実践を深めていきたい。

わかばやし・ともこ

プロジェクト・コーディネーター、プランナー。デザイン会社勤務を経て、英国で文化政策とアートマネジメントを学んだのち、1999〜2013年公益社団法人企業メセナ協議会に勤務。プログラム・オフィサーとして企業が行う文化活動の推進と芸術支援の環境整備に従事。2013年よりフリーランスとなり、各種事業のコーディネート、企画立案、編集、執筆、調査研究、コンサルティング、事業評価、NPO支援等に取り組む。NPO法人理事（芸術家と子どもたち、JCDN、芸術公社）、監事（アートプラットフォーム、ON-PAM、音まち計画、アーツエンブレイス、TPAM）、アートによる復興支援ARTS for HOPE運営委員。立教大学大学院21世紀社会デザイン研究科特任准教授。

ピアレビューの進め方

ピアレビューの概ねのフロー図。状況に応じて変更したい。

① 目的・目標の確認

なぜ、何のために行うのか。結果をどのように活用したいのか

② 全体テーマの設定

何を知りたいのか。何を明らかにしたいのか（事業成果、団体運営上の課題）

③ レビュアー（ピア）の選定

誰にレビューを依頼するか。相互評価にするか、一方向の評価にするか

④ 検証項目・内容の設定

具体的にどのような項目を検証するのか。それは誰が決めるか（当事者、ピアに委ねる、両者でディスカッション）

⑤ 方法の検討

視察（イベント時、日常）、参与観察、インタビュー、アンケート、グループディスカッション等

6 スケジュール決め
実施時期（イベント中、事後、日常）、期間（短期、中期）、頻度は？

7 提供リソースの設定
どのような資料やデータを提供し得るのか（守秘義務の確認）

8 方法の検討
当事者とピアの役割分担、参加者の役割分担（統括、進行管理、司会、記録、提供資料作成、ドキュメント化、予算管理、発表・発信、視察参加等）

9 レビューの実践
本番の進行確認。分析とまとめ（十分なレビュー時間の確保）

10 結果の活用
具体的にいつどのように活用するのか

11 振り返り、フォローアップ
実施したピアレビューの振り返り、フォローアップの方法、時期など

フロー図作成：若林朋子

2018年2月22日に東京藝術大学で開催された「ピアレビュー報告会」の様子。発表しているのは、TERATOTERAの高村瑞世（右）とアートアクセスあだち 音まち千住の縁の吉田武司（左）。Photo: Shu Nakagawa

CASE1

拠点を開き、
さまざまな関わりかたを支えるには?

取手アートプロジェクト ⇆ 應典院

取手アートプロジェクト × 應典院のピアレビュー

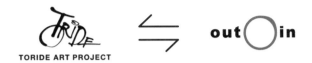

茨城県取手市で1999年より活動する〈取手アートプロジェクト（TAP）〉は
取手市内の3つの場所を拠点に多様な人たちとの日常的な活動を
継続しています。ピアレビューの相手に選んだのは、
大阪市天王寺区で1997年から地域の教育・福祉・芸術の基盤としての
お寺のありかたの創造に取り組む應典院でした。

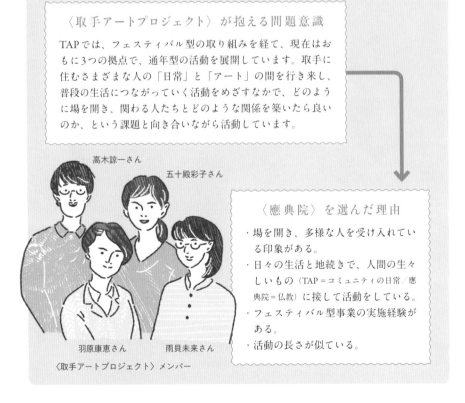

〈取手アートプロジェクト〉が抱える問題意識

TAPでは、フェスティバル型の取り組みを経て、現在はおもに3つの拠点で、通年型の活動を展開しています。取手に住むさまざまな人の「日常」と「アート」の間を行き来し、普段の生活につながっていく活動をめざすなかで、どのように場を開き、関わる人たちとどのような関係を築いたら良いのか、という課題と向き合いながら活動しています。

高木諒一さん

五十殿彩子さん

〈應典院〉を選んだ理由

・場を開き、多様な人を受け入れている印象がある。

・日々の生活と地続きで、人間の生々しいもの（TAP＝コミュニティの日常／應典院＝仏教）に接して活動をしている。

・フェスティバル型事業の実施経験がある。

・活動の長さが似ている。

羽原康恵さん　　　雨貝未来さん

〈取手アートプロジェクト〉メンバー

ピアレビューのテーマ

・活動を支える「人」
・「拠点」の開かれかた

茨城─大阪という距離と、時間的な制約のなかでできることを考えた結果、まずはお互いの活動を深く知り、共通点・相違点を発見することで、今後の活動の発展や改善のための気づきを得るというシンプルな目標を設定しました。

方法

・現地の相互視察（取手と大阪）とインタビュー
・レビュー内容の共有と気づきのまとめ

〈應典院〉秋田光軌さん

〈取手アートプロジェクト〉に声をかけられて

「ピアレビュー」という言葉は初耳でした。声をかけられてはじめは戸惑いましたが、両団体に「日常のなかのアート」を探究しようとする共通点があり、第三者の視点から学ぶという趣旨に共感し、依頼を引き受けました。芸術文化事業を行う拠点としての側面だけではなく、仏教寺院また仏教者として活動に取り組むことがTAPにとっても何かの参考になるかもしれない、と思いました。

プロセス

ピアレビューの相手へ打診*
↓
オンラインでのミーティングでテーマの設定
↓
資料（事業報告書、決算書など）提供、ヒアリング事項の事前共有
↓
お互いの現地視察とインタビュー
↓
レビュー内容の共有、気づきのまとめ
↓
振り返りや追加のヒアリング

＊應典院で以前働いていた小林瑠音さんに相談し、秋田さんとつないでもらう

上：「アートのある団地」プロジェクトの活動拠点「いこいーの＋Tappino」。／左下：「半農半芸」の活動拠点「藝大食堂」。／右下：「TAKASU HOUSE」。

取手アートプロジェクト
Toride Art Project

取手アートプロジェクト（TAP）は、1999年より市民と取手市、
東京藝術大学の三者が共同で行っているアートプロジェクト。
芸術による文化都市をめざす取手のまちをフィールドとして、
アーティストの活動支援と、市民の芸術体験・創造活動の仕組みづくりにより、
芸術表現を通じた新しい価値観の創造を目指して活動しています。

運営主体：取手アートプロジェクト実行委員会／NPO法人取手アートプロジェクトオフィス
事務局人数：4人
活動拠点：茨城県取手市
活動開始：実行委員会＝1999年／NPO法人＝2010年

おもな事業内容 ※2018年時

[コアプログラム]

アートのある団地

さまざまな人が暮らす団地の日常のすぐ近くで、アーティストと住民が接触／共鳴しながら実験的な表現活動を行っている。

半農半芸

自然の要素を表現の軸に据えたアーティストたちと「生きること」を取り巻く環境を体で学びながら、新しい価値をつくる試みに取り組む。

[ベースプログラム]

表現活動を日々の生活の豊かさや多様さにつなげていくことを目指して、「人材育成」「子ども」「中間支援」「国際交流」「環境整備」をキーワードにさまざまなプログラムを展開している。地域で活動するアーティストとそこに暮らす人々とのおもしろいつながりを育むことを大切にしている。

沿 革

1999年 公募による野外アート展「取手リ・サイクリングアートプロジェクト」とアート制作の現場を公開する「オープンスタジオ」を2本柱として「取手アートプロジェクト」がスタート。以後2009年まで、2つのプログラムは毎年交互に開催(偶数年＝公募展、奇数年＝オープンスタジオ)。

2010年 フェスティバル型のプログラムから、より日常的なアプローチを行うプロジェクト型への移行期として「100本ノック！」実施。2つのコアプログラム「アートのある団地」「半農半芸」を立ち上げる。

2011年 取手井野団地ショッピングセンターの空き店舗に、「アートのある団地」プログラム拠点「いこいーの + Tappino」オープン。

2014年 旧農協事務所を改修した「半農半芸」活動拠点「TAKASU HOUSE」をオープン。

2017年 東京藝術大学取手キャンパスの福利施設に「藝大食堂」オープン。

上：公募展「取手アートプロジェクト2006 一人前のいたずら―仕掛けられた取手」より。／中：深澤孝史「とくいの銀行」(アートのある団地、2011年〜)より。／下：藝大食堂(半農半芸、2017年〜)。

上：「詩の学校」（2012年）より。／左下：應典院外観。／右下：「おてら終活祭」（2018年）より。

應典院
Outenin

1997年に再建された浄土宗應典院は、かつてお寺が担っていた
地域文化の振興に特化した場として、〈気づき・学び・遊び〉を
コンセプトとした「葬式をしない寺」です。
また、NPO「應典院寺町倶楽部」を設立し、会員である市民や
アーティストと協働しながら多彩な文化事業を展開しています。

運営主体：宗教法人浄土宗應典院
寺務局人数：5人
活動拠点：大阪府大阪市
活動開始：1997年（再建時）

おてらの終活プロジェクト

お寺や仏教の伝統的な智慧に学びながら、トークカフェや講座、ワークショップなどを通じて、それぞれが「人生のしまい」を見つめられる場づくりを行う。また看護師や介護士らとの勉強会を開催し、より良い社会実践のありかたを模索している。

[應典院寺町倶楽部事業] コモンズフェスタ

アートと社会活動のための総合芸術文化祭。

[應典院寺町倶楽部事業] 應典院舞台芸術祭 Space × Drama × Next

1997年より続いてきた演劇祭が、2018年度より「いのちに気づく演劇プログラム」としてリニューアルした。

沿 革

1614年 大蓮寺三世誓誉在慶の隠棲所として、大蓮寺の塔頭寺院である浄土宗應典院が創建される。

1997年 大蓮寺創建450年記念事業として、戦災で焼失した應典院の再建プロジェクトが立ち上がり、数年の検討期間を経て再建される。同年、應典院を拠点とするNPOとして、應典院寺町倶楽部を設立。

2005年 当初、会員による自立団体を目指していた應典院寺町倶楽部だが、應典院職員が実質的に應典院寺町倶楽部の実働を担うこととなる。

2006年 應典院寺町倶楽部が、大阪市・財団法人大阪都市協会の「現代芸術創造事業」を受託（2006～2009年度）。大阪市港区築港に「アートリソースセンター by Outenin（愛称：築港ARC)」を開設。

2017年 会員による執行部が應典院寺町倶楽部の運営を担い、再び団体の自立化・活性化に向けて歩みを進める。

2018年 再建20年を区切りとし、應典院第二期の活動として「おてらの終活プロジェクト」を開始。

2019年 クラウドファンディングにより、新たな終活の拠点「ともいき堂」を大蓮寺墓地内に開創。

上：「おてら終活カフェ」（2018年）より。／中：本堂での表現活動の様子。／下：大塚久美子個展「私の中の命のかたち」（2017年）。

はじめてのピアレビュー
取手アートプロジェクト編

取手アートプロジェクトが手探りで取り組んだピアレビュー。
事務局長の羽原さん、スタッフの五十殿さん、雨貝さん、高木さんが
應典院への訪問でみたもの、秋田さんとの対話から考えたこと、
ピアレビューから得たものとは。

［マンガ］石山さやか

＊実際のプロセスに基づいたフィクションです。

2017年11月 取手

ブウ————————————

（はばら）
羽原さん

今日は午前中「いこいーの＋Tappino」でワークショップの件まとめて、午後はミーティング（MTG）…

おはようございます〜

あ、羽原さんおはよう〜

えー鈴木さんボランティア辞めるんですか!?

親の介護で私も忙しくなりそうで…

そっかー

何年か経つと状況も変わって続けてもらうのも難しくなるんだなあ

バタン

おつかれさまー

おつかれさまです〜MTG始めましょー

（あまがい）
雨貝さん

ピアレビューの件、
日程が合わなくて
あの団体はダメ
だったんだっけ

五十殿さん

高木さん

ルネさん

ピアレビューの
ことを教えて
くれました

そう、それでルネさんから
話をきいたんだけど
大阪の「應典院」はどうかって

應典院?

お寺なんだけど
演劇とかやってる
ところで…

應典院は1997年から
地域の教育・福祉・芸術
の基盤としてのありかたに
取り組んでいるお寺

場を開き多様な人を
受け入れていることや
活動の長さなどTAPと
共通点があります

いいんじゃない?

うん、アートと
教育・福祉の越境
ってところが
うちと似てるかも

じゃあルネさん経由で
應典院にオファー
してみよう!

そうですね!

それじゃ次の
議題だけど…

こうして
ピアレビュー相手が
決まったのが
11月下旬のことでした

アートプロジェクトのピアレビュー

アートプロジェクトのピアレビュー

なにか迷うことがあったとき、
「應典院さんならどうするかな」と
考えてみる

一度一緒に話す時間
とってみて、おもしろく
なりそうなら
進めてみようか

いいと
思います！

比べることで自分が何を
"活動の価値"としているかが
言語化できるようになってきた

じゃあ、
いこいーの
行ってきまーす！

でも

「自分と似たことを違う方法で
やっている人がいる」と知ることで
少し霧が晴れてラクになった
自分の立っている場所が確認できた

こんにちはー

いってらっしゃーい

私たちの仕事は
成果があやふやで

自分がいま
どの地点にいるかが
わかりづらい

それは変わらない

そういう意味で
ピアレビューを
やってよかったと思う

取手市にある戸頭団地の壁面には上原耕生による「IN MY GARDEN」（アートのある団地、2013〜2016年）が11棟15面に広がる。この地域に暮らす住民の個人的な思い出やエピソードが着想の源になっている。

社会に向けたプロジェクトであることを再確認するために

羽原康恵[取手アートプロジェクト実施本部事務局長]

本質的な「評価」に出会いたかった

　普段悩ましい自分たちの活動の「評価」。自らの活動を更新していくためには、自分たちが主体的に行う「自己評価」が必要であることは重々承知なのですが、日々の膨大な仕事量を前に、限られたキャパシティの中で自分たちの活動をちゃんと見直す実感が持てる「評価」をするのはなかなか難しいことだと思います。

　地域型アートプロジェクトの常として、公的資金や外部からの助成金を主要な財源としている事業である場合、その支援元が求める指標に照らしての評価は毎年度必ず向き合うものだと思います。自分たちの活動から価値を洗い出して、独りよがりにならないように客観的な数値や参照できる情報を集めて言語化する。あるいは専門家に活動を見てもらい（といってもプロジェクト型だと見てもらえる範囲は限られているけれど）、審査・批評してもらう。これももちろん「評価」なのですが、こういった毎年の実績報告の過程で必要になる一連の作業だけだと、自分たちの活動をその先に発展的につなげるための本質的な「評価」にはならない。そんなジレンマを長らく感じていたところでした。行政や助成元などの特定の外部を意識した評価の作業は、プロジェクト運営に必要なルーティン・ワー

クではありますが、悪く言ってしまうといただいた支援に正当性を持たせるための建前づくりのような感覚もあります。

　数字に表せる結果は伝わりやすくはなるけれど、私たちの活動の価値はたとえば広報実績の金額換算とか、参加者の延べ人数だけでは決してないはずで……。報告書に並ぶそれらの数字やテキストは、かえって芸術文化の価値をわかりにくくしているような気さえするし、でもそれは自分の活動の価値をわかりやすく伝え切れていない自分たちの責任なのかもしれない。そんなもやもやを抱えつつ出会った「ピアレビュー」に、イメージははっきりしないけれどやってみたい、と思ったのは、違う方法で「評価」に向き合ってみることそのものに期待を抱いたからかもしれません。

個々の機動力をあげる、肩越しのピアレビュー

　今回は先のページで素敵な漫画にしていただいたように、取手アートプロジェクト（TAP）事務局総出の４名を、應典院の秋田光軌さんに受け止めていただき、初めてのピアレビューに臨みました。秋田さんは地理的には少し遠いけれど、今では活動を通じて目指していること、悩んでいることをついさらけ出し合ってしまった親しい仲間のような感覚でいます。

　ピアレビューの基本プロセスに沿って、初めてではあれど取り組んだ過程で実感したのは、「自分たちが應典院さんの何に興味があり、何を知りたいのか」を考え、その活動や団体の仕組みをレビューしようとすることは、TAPの事務局を担うそれぞれが個人として何に興味を持ち、自らの活動で何を大事にしたいのか、を知り直すプロセスとイコールであ

るということでした。振り返って一番の興奮として残っているのは、ピアレビューの工程をひととおり終えたあとで、「じゃあレビューでどう思ったの？ 我々の活動は、いまどういう状態なの？」ということを事務局4名で話したときの新鮮さでした。時間を重ねれば、個々人の興味も、プロジェクトの社会的な意味も変わっていきます。應典院の事例を触媒として、今現在の自分たちそれぞれが、自身の興味をいまいちど言葉にして外に出す、という機会だったと思います。

　その後事務局内では「肩越しのピアレビュー」という言葉が流行りました。事務所に居合わせるときにちょっとした方針をささっと打ち合わせて「確かめる」。そうして日常の中で他者と「確かめる」ことを少しずつ重ねると、機動力があがる感覚がありました。活動を支える個々人の動機がプロジェクトのエンジン出力を大きく左右するアートプロジェクトの現場において、お互いの動機を共有している実感は、前に進むための必要不可欠な支えです。

　そんなふうに、アートプロジェクトの基本に立ち返る機会をいただいたピアレビューですが、他者に自分たちの価値を伝えるという点では、それぞれが個人の興味関心に基づいて、主観をさらに掘り下げ、自分たちが何を価値としてとらえているのかを言葉にするチャンスとしてこそ活用できると思います。だから、アートプロジェクトのピアレビューは、ひとつの確立された「評価手法」として活用するというよりも、普段忙しくバタバタと仕事を進めているときにふと一歩ひいてみて、自分たちの活動の位置や価値を確かめながら進むためのバランスをとる時間、いわばある種の「猶予」が持てる

仕組みだと思って活用いただくといいのではないかと思います。できれば、普段近すぎて話せていない自分の仲間と「このポジティブな猶予を活用しよう！」と思い切ってはじめてみるのがおすすめです。

　ともすれば、社会に向けて取り組んでいるはずなのに、とても小さな現場のなかだけで孤軍奮闘しているようにも思えてしまうアートプロジェクト。ピアレビュー・パートナーを得て自分たちの活動から離れたところで互いの活動を照らし合わせられることは、日々の活動が地域を超えて今を生きる誰かに届くものであることを意識しつづけるための大きな支えとなります。

はばら・やすえ

アートコーディネーター／取手アートプロジェクト実施本部事務局長、NPO法人取手アートプロジェクトオフィス理事・事務局長。1981年高知県生まれ、広島、三重育ち。筑波大学大学院人間総合科学研究科芸術学専攻（芸術支援学）修了。複合文化施設での企画運営従事を経て、現職。コアプログラム「アートのある団地」の立ち上げほか、拠点運営・プロジェクトの企画運営、アーティストと住民をつなぐための中間支援、人材育成などに取り組む。

他者との対話を通じてケアされ、
エンパワメントされていく出会い

秋田光軌 ［浄土宗應典院前主幹］

他者がいなければ、自らを知ることもできない

　今回、取手アートプロジェクト（TAP）の皆さんとピアレビューをさせていただきました。浄土宗應典院もアートプロジェクトに取り組むことはありますが、むしろそれ以外に関しては全く異なる状況にあると言っていいTAPのご活動を知ることで、日常では使っていない頭を使った気がしています。いつもの枠組みを一旦取り外して、異なる枠組みで自らを見つめてみるということでしょうか。その新鮮さは、たとえば異国への旅行から自国の特性を再発見する、といった経験に近いのかもしれません。

　自組織の活動や理念や運営形態について、ここまで徹底的に他者と話し合う機会はなかなか持てないように思います。他組織の話を伺うことで受ける刺激はもちろん、自組織のことをどう伝えるかという面でも鍛えられました。人は他者がいなければ、自らのことを本当に知ることもできない。普段は説明不要と見過ごしている部分も含めて、よくよく問いなおしてみる機会になりました。

　とはいえ、お互いにまた異なる状況で活動している以上、自組織の改善のためのヒントが直接的に見つかるわけではあ

りません。おそらく「改善のヒントを見つけたいから」という目的だけでピアレビューに参加すれば、思ったような結果が得られず苦しむことになるのではないでしょうか。私が今回感じたのはむしろ、志を同じくする「同志」が遠く離れた地に確かにいらっしゃるというつながりであって、TAPという他者との対話を通じてケアされ、エンパワメントされていく実感だったのです。

ですので、改めてTAPとのピアレビューを一言で振り返るならば、やはり「出会い」という言葉がしっくりくるように感じます。アートや仏教における諸活動を通して、どんな新しい関係性のあり方を志しているのかというビジョンと、そこで誰しもがぶつかることになるさまざまな課題。質問と応答を重ねる中でそれらを分かち合えたことは、これからも前を向いて変わり続けていけるのだと勇気づけられる出来事であり、とても幸せな時間でありました。

あきた・みつき

1985年、大阪府生まれ。浄土宗大蓮寺副住職。2019年度より、大蓮寺を設立母体とするパドマ幼稚園園長補佐に就任。大阪大学大学院文学研究科博士前期課程修了（臨床哲学）。仏教のおしえを伝えながら、死生への問いを探求する場づくりに取り組んでいる。

〈谷中のおかって〉による「こども創作教室『ぐるぐるミックス』」。
ディレクターの大西健太郎（写真右）が中心となり、さまざまなプログラムを行っている。

アーティストと子どもの関わりかた、
場のつくりかたを探る

芸術家と子どもたち

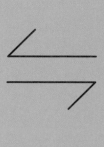

谷中のおかって

東京・谷中地域を拠点に活動する〈谷中のおかって〉が2011年より続ける
「こども創作教室『ぐるぐるミックス』」。アーティストがディレクターとなり、
1年を通して子どもたちと一緒に遊びや学びの場をつくっています。
ピアレビューの相手は、おもに学校でアーティストと子どもたちの
出会いの場をつくる〈芸術家と子どもたち〉でした。

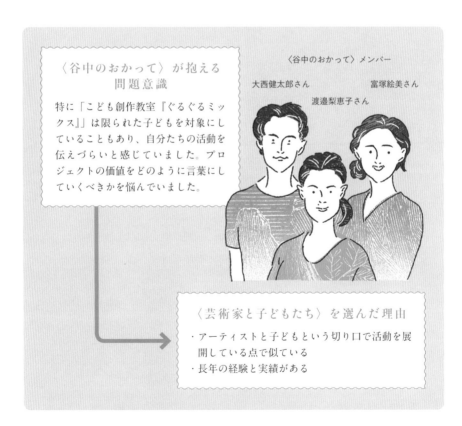

〈谷中のおかって〉が抱える問題意識

特に「こども創作教室『ぐるぐるミックス』」は限られた子どもを対象にしていることもあり、自分たちの活動を伝えづらいと感じていました。プロジェクトの価値をどのように言葉にしていくべきかを悩んでいました。

〈谷中のおかって〉メンバー
大西健太郎さん　富塚絵美さん
渡邉梨恵子さん

〈芸術家と子どもたち〉を選んだ理由

・アーティストと子どもという切り口で活動を展開している点で似ている
・長年の経験と実績がある

場のつくりかた

子ども、アーティスト、スタッフ、学校、地域など、どのような人たちと、どのような場をつくっているのかを比較することで、運営体制や関わる人たちの役割を見直しました。

方法

・現地の相互視察
・レビュー内容の共有と気づきのまとめ

〈芸術家と子どもたち〉メンバー
竹丸草子さん

〈谷中のおかって〉に声をかけられて

「ピアレビュー」は初めて聞いた言葉でした。「ピュアレビュー?」と聞き間違えて「私たちはピュアではないのだけれど……」と（笑）。「谷中のおかって」の活動も詳しいことを存じ上げなかったのですが、オンラインでミーティングを重ねるにつれ、アーティストが1年間、同じ子どもたちと関わっていく点が〈芸術家と子どもたち〉とは大きく違い、非常に興味深い活動だと思いました。

プロセス

ピアレビューの相手への打診
↓
オンラインでのミーティングでテーマの設定
↓
資料の提供、ヒアリング事項の事前共有
↓
お互いの現地視察
↓
意見の交換会

「こども創作教室『ぐるぐるミックス』」より。

谷中のおかって
Yanaka no Okatte

東京都台東区谷中地域を拠点に、アートイベントの企画・運営・サポートを
行っています。2008年、東京藝術大学の教員と学生を中心に活動開始。その後、
アーティストのきむらとしろうじんじんとともに「こども創作教室『ぐるぐるミックス』」
をスタート。文化芸術の企画を通じて世代や異なる価値観を超え、
さまざまな人と文化を共創する場づくりを目指しています。

運営主体：一般社団法人谷中のおかって
事務局人数：3人
活動拠点：東京都台東区
活動開始：2008年

こども創作教室「ぐるぐるミックス」 ……………　4〜5歳児を対象に、月2回、1年を通したプログラム。台東初音幼稚園を拠点に毎年募集。

DenchuLab.（デンチュウラボ） …………………………　旧平櫛田中邸を活かした、作品制作および展示、活動企画を募集し、若手アーティストを支援。

沿 革

2008年　東京藝術大学教員の熊倉純子と研究室の学生、社会人ボランティアにより活動を開始。

2010年　一般社団法人谷中のおかってを設立。東京都・東京文化発信プロジェクト室（公益財団法人東京都歴史文化財団）による「東京アートポイント計画」（p. 74）の一環として「ぐるぐるヤ→ミ→プロジェクト」を展開。文京区根津の小さな一軒家を活動拠点にする（〜2012年）。またアーティストのきむらとしろうじんじんを招聘し「こども創作教室」の構想がスタート。

2011年　「ぐるぐるヤ→ミ→プロジェクト」の一環として、台東初音幼稚園を会場に「こども創作教室『ぐるぐるミックス』」がスタート。きむらとしろうじんじんに師事し、大西健太郎がファシリテーターとして就任。

2016年　「こども創作教室『ぐるぐるミックス』」を助成等を受けず、自立して運営。東京都、アーツカウンシル東京（公益財団法人東京都歴史文化財団）による「Art Support Tohoku-Tokyo」の一環としてかまいしこども園（岩手県釜石市）にて「ぐるぐるミックス」をスタート。

上：「きむらとしろうじんじんの野点@フラワーショップ小竹前」（2011年）。／中：「DenchuLab.」（2016年）より。／下：「こども創作教室『ぐるぐるミックス』」（2011年〜）。

「パフォーマンスキッズ・トーキョー」ホール公演（2014年度）より。Photo: Kazuyuki Matsumoto

芸術家と子どもたち
Children Meet Artists

芸術家と子どもたち
CHILDREN MEET ARTISTS

現代アーティストと子どもたちが出会う「場づくり」を行っています。
学校や児童養護施設などを中心に教育や福祉分野を横断して、
アーティストによるワークショップを実施。子どもたちにとっては潜在的な力を
存分に発揮し伸ばす機会、そしてアーティストにとっては子どもたちと関わり、
新たな表現を探る機会となるよう取り組んでいます。

運営主体：NPO法人芸術家と子どもたち
事務局人数：9人
活動拠点：東京都豊島区
活動開始：1999年

おもな事業内容 ※2018年時

ASIAS(エイジアス) .... 公立小学校や中学校、特別支援学校、児童養護施設、障害児入所施設などにアーティストが出かけて子どもたちと一緒にワークショップを行う活動。

ぞうしがや こどもステーション .... 東京メトロ副都心線雑司が谷駅前にある、子育て中の親子や家族が一緒に楽しめる遊びのスペース。

パフォーマンスキッズ・トーキョー .... ダンスや演劇、音楽などの分野で活動するアーティストを、都内の文化施設や学校などに派遣。10日間程度のワークショップを行い、子どもたちが主役のオリジナルの舞台作品をつくる。アーツカウンシル東京（公益財団法人東京都歴史文化財団）と実施。

沿 革

1999年 任意団体「APA芸術振興協会」の名称で活動開始、事務所を東京都渋谷区に開設。「ASIAS (エイジアス)」プロジェクトを構想し、学校リサーチや企業協賛金集めを行う。

2000年 初めて「ASIAS」を豊島区立の小学校にて実施。(作曲家・野村誠)

2001年 NPO法人化、団体名を「芸術家と子どもたち」に改名。

2004年 豊島区文化芸術創造支援事業の一環として、NPO法人 アートネットワーク・ジャパンとともに「にしすがも創造舎(旧朝日中学校)」を運営。

2008年 「パフォーマンスキッズ・トーキョー」開始。

2017年 事務所を豊島区の旧豊島区立真和中学校に移転。豊島区雑司が谷に「ぞうしがや こどもステーション」をオープン。

上：「ASIAS」より。／下：「ぞうしがやこどもステーション」
（2017年度）より。

体制の比較 〈谷中のおかって〉の「こども創作教室『ぐるぐるミックス』」（以下、ぐるぐるミックス）と、〈芸術家と子どもたち〉の活動の柱でもある「ASIAS（エイジアス）」を比較し、その運営体制などを分析しました。

〈谷中のおかって〉

こども創作教室「ぐるぐるミックス」

希望者を対象に、3学期制で、年間17回のプログラムに取り組んでいる。1学期は教室に慣れるのを目的にし、2学期は個々人の興味を大事にさまざまな素材に触れ、3学期はさまざまなまちの大人をゲストに迎えて一緒に遊ぶ。　　　　　対象年齢：4〜5歳

実施場所
台東初音幼稚園の教室を借りて活動。

期間
月に2回（土曜日）、1年を通して実施。

構成
アーティストの大西健太郎がディレクターとなり、〈谷中のおかって〉の運営スタッフ、ボランティアスタッフと連携して運営している。ゲストとのプログラム調整はアーティストが行っている。初音幼稚園とは〈谷中のおかって〉運営スタッフがやりとりしている。アーティスト自らがコーディネーターや運営の一端を担う。

幼稚園（会場）　　　運営スタッフ　　　ボランティアスタッフ　　　アーティスト兼ディレクター　　　ゲスト（地域の人）

〈芸術家と子どもたち〉

ASIAS（エイジアス）

学校の先生や児童養護施設職員の希望をもとに、学校・クラス・施設の状況に応じて、先生・職員、アーティスト、コーディネーターの三者で話し合い、オーダーメイドのワークショップ型授業を組み立てる。

対象年齢：未就学児〜中学生

実施場所

公募により、おもに学校や児童養護施設にて実施。

期間

学校ごとに、数日〜数カ月の中で要望により日数や期間を調整して実施。「ASIAS」としては通年で活動。

構成

〈芸術家と子どもたち〉のスタッフがコーディネーターとして学校の先生とアーティストの間に入り、準備からプログラム実施までさまざまな調整を行う。学校と事前の打ち合わせからアーティストを選出。アーティストは一人ではなくアシスタントやチームでワークショップを実施することが多い。

運営スタッフ

先生

アーティスト

子ども

学校

アシスタント

〈谷中のおかって〉→〈芸術家と子どもたち〉

〈谷中のおかって〉が訪れたのは、3つのプログラム。特に学校とのプログラムでは、
影の立役者であるコーディネーターの存在が気になりました。

1 パフォーマンスキッズ・トーキョー

過去のホール公演より。Photo: Kazuyuki Matsumoto

訪問日：2018年1月17日
アーティスト：田畑真希さん（ダンサー・振付家）
場所：都内公立小学校（対象：6年生）
ダンサーといろいろな動きや表現を試すワークショップ。こ
の日は9回のうちの3回目。3クラス（103名）合同での活動
の日だった。

\ 先生たちとの信頼関係は /
どのように？

高学年ということもあり、最初は恥ず
かしがり、周りを気にする子も多かっ
たのですが、アーティストと身体を使
うウォーミングアップをするうちに
徐々に表情がほぐれ、身体の使い方が
変わっていきました。発表会に向け、
アーティストが時に厳しく時に励まし
ながら、子どもたちをリードしている
のが印象的でした。進行や内容はアー
ティストに任せ、先生たちは近くでそ
の様子を見守る姿に、厚い信頼関係が
見えました。どのように先生方との信
頼関係を築いているのだろう？

2 ASIAS(エイジアス)

訪問日：2018年1月25日
アーティスト：渡辺麻依さん（演出家・俳優）
場所：都内公立小学校（対象：3年生）
7回中1回目のワークショップ。アーティストと子どもたちの顔合わせの回を見学。身体を動かす演劇的なワークを中心に、一緒に動きながら今後のステップへつなげる。

過去のホールでのワークショップより。
Photo: Manaho Kaneko

コーディネーターのスキルを知りたい！

アーティストのやりたいことがきちんと現場に落ちている印象でした。難しい調整も多いのではないかと思うけれど、コーディネーターはどのようにアーティストを選び、学校とマッチングしているのだろう？　現場では表には出ないコーディネーターが、どのようにアーティストと学校や先生をつないでいるのか、そのスキルをますます知りたくなりました。

3 ぞうしがや　こどもステーション

訪問日1：2018年1月14日、アーティスト：入手杏奈（振付家・ダンサー）／訪問日2：2018年1月21日、アーティスト：片岡祐介（打楽器奏者・即興演奏家）
身体を使ったワークショップ「入手杏奈の親子でからだあそび」と音楽による「片岡祐介と、あそび楽団」にそれぞれ訪問。

参加者の楽しみ方は？

小さな子どもを連れた家族が多く参加されていて、保護者も積極的にプログラムを楽しんでいるのが印象的でした。アーティストも参加者の反応を見ながら臨機応変に働きかけていて、参加者と一緒につくり上げている様子でした。どのくらいの頻度で参加しているのかな？　どんなことを期待して参加しているのかな？

POINT
〈芸術家と子どもたち〉は公的な教育に入り込んでいくことを大切にされています。「ぐるぐるミックス」では希望者が参加しますが、教育機関での実施は、興味関心に関係なくいろんな子どもたちがアーティストと出会える機会になります。そのため、先生との連携が欠かせずコーディネーターの仕事が大事なのだなと思いました。[渡邉梨恵子]

相互視察 〈芸術家と子どもたち〉→〈谷中のおかって〉

〈芸術家と子どもたち〉の竹丸さんが訪れたのは、2018年度、
こども創作教室「ぐるぐるミックス」の3学期目。同じ子どもたちが
1年を通して関わる姿に注目しました。

こども創作教室「ぐるぐるミックス」

訪問日：2018年1月27日
ゲスト：篠原由比子さん（アトリエ・サジ店主）
場所：台東初音幼稚園内教室
竹丸さんが訪れた日は「盆栽遊び」の日。参加した子どもは23名。
スタッフはボランティアスタッフ8名に、谷中のおかってのスタッフ
が4名の計12名だった。

上の写真がディレクターの大西健太郎さん（左）。下の写真が篠原由
比子さん（右）。子どもが素材に向き合う時間をたっぷりとっている。

アーティストという 不思議な大人の存在

アーティストの大西健太郎さんがディレクターという立場で1年間を通じ、子どもたちの身近にいるプログラムは新鮮でした。周囲にはいない「少し不思議な大人」という存在が、子どもの日常に入り込み、子どもたちの日常を拡張していく感じかもしれません。一方で、ゲストが特別な存在として関わっているのが印象的でした。今回のゲストのように、地域も巻き込み、さまざまな大人と出会わせることも大事にされているところがいいと思いました。

興味をとことん
掘り下げられる場

子どもたちの質問に答える篠原さん。

子どもたちは、作品をつくるだけではなくほかの子やスタッフに作品を見せたり、一緒につくったり、制作を通したコミュニケーションを楽しんでいる様子でした。ゲストに興味を持って、話しかけたりしているのも印象的でした。自分の興味をとことん掘り下げられる場なのだと思いました。

23名の子どもたち。

観察者の目線を
入れてみては

ボランティアスタッフが現場に深く関わっている印象でした。新人からベテランまで経験や関わる頻度もさまざまなよう。スタッフ間の共通認識を確かめることも重要かと思いました。スタッフでもない、アーティストでもない、もう1つの視点をもつ人「観察者」としての目線を取り入れてみてはどうかしら？

POINT

子どもたちが「とことん興味を持つ」場、また「自分が納得できる」場をつくれていることがすばらしいなと思いました。それは2時間半のなかで、いつ、だれが、何をするか、という計画を綿密に立てた丁寧なプログラムだからこそなし得ているのだと思います。ワークショップのあとの振り返りにも参加しましたが、スタッフが子どもたちの一人ひとりの変化に注視されているのも印象的でした。[竹丸草子]

座談会

子どもたちの未来を考えるピアレビュー

竹丸草子 [NPO法人芸術家と子どもたちアドバイザー]
×
渡邉梨恵子 [一般社団法人谷中のおかって代表]・
大西健太郎 [一般社団法人谷中のおかってスタッフ]

現場をお互いに見学し、ピアレビューを行った両者。
今回のピアレビューのテーマを「場のつくりかた」と設定していましたが、
さらに対話を重ね、それぞれの違いや共通点について話を深めていきます。

「かき混ぜる人」としてのコーディネーター

大西健太郎(以下、大西)　竹丸さんは相互視察を経て、アーティストの役割の違いについて注目してくださいました。僕も〈芸術家と子どもたち〉の現場を見て、アーティストのほかに先生やコーディネーターも含め、どんな顔ぶれで子どもたちと関わりをつくるかを意識している感覚が共通していると感じました。

渡邉梨恵子(以下、渡邉)　私たちの場合は「コーディネーター」という存在がはっきりと決まっているわけではなく、大西がゲストとのコーディネートを担ったり、これまでボランティアスタッフのメンバーからコーディネーター的な役割になったりすることもありました。今回竹丸さんに来ていただいたことでコーディネーターの必要性を強く感じました。改めて〈芸術家と子どもたち〉での「コーディネーター」の役割をお伺いしたいです。

竹丸草子(以下、竹丸)　コーディネーターは各ワークショップにつき2人くらいで担当し、ワークショップ自体の進行はアーティストとそのアシスタントが担っています。コーディネーターは、準備段階か

NO.193 **出版案内**

水曜社 URL : suiyosha.hondana.jp/

〒160-0022 東京都新宿区新宿1-14-12 TEL 03-3351-8768 FAX 03-5362-7279
お近くの書店でお買い求めください。　　表示価格はすべて本体価格（税別）です。

芸術祭と地域づくり

"祭り"の受容から
自発・協働による固有資源化へ

あいちトリエンナーレ2019
「表現の不自由展・その後」の「その後」を収載。
個別の地域コミュニティ・プロジェクトごとに
調査地域全体に定性的な分析を行い、
なぜこの地域で芸術祭が開催されるのか、
この地域にどんな意義があるのかという問いに
答える。文化・アート関係者の必読書。

9784880654720 C0036　　　　　　　　　吉田隆之 著 A5判並製 2,900円

まちの居場所、施設ではなく

どうつくられ、
運営、継承されるか

介護、育児、貧困など従来の制度・施設の枠組み
では対応できない人々が、自ら課題を乗り越える
ために開かれた「まちの居場所」。4つの場所の
具体的な姿を描き、地域への影響と実績、課題
などについて論究。地域における豊かな暮らしを
実現し、活力ある少子高齢化社会の構築のため
に、その役割と重要性を考える最新刊。

9784880654751 C0036　　　　　　　　　田中康裕 著 A5判並製 2,500円

セイバーメトリクス入門

脱常識で野球を科学する

米国メジャーリーグで発達した、野球を統計学と客観
分析で考察する手法。その思考方法や盗塁、バント等
の戦術の有効性をわかりやすく解説する入門書

9784880654775 C0075　　　　蛭川皓平 著 岡田友輔 監修 A5変型判並製 1,800円

文化とまちづくり叢書

岐路に立つ指定管理者制度　変容するパートナーシップ
制度で成果を上げてきた施設・自治体は、他とどう違うのか。実施後の10年余を振り返る
9784880654638　　　　　　　　　　　　　　　松本茂章 著　A5判並製　2,500円

野外彫刻との対話
野外彫刻の日本で置かれている状況を3つの観点から考察。都市空間の関係性を考察する
9784880654669　西山重德 著　井口勝文 特別寄稿　さとうあきら 写真　A5判並製　2,500円

SDGsの主流化と実践による地域創生　まち・ひと・しごとを学びあう
まち創りの論理と、ひと創りの実践活動。みらい創りに必要な戦略とその評価方法
9784880654645　　　　　　　　　遠野みらい創りカレッジ・樋口邦史 編著　A5判並製　2,500円

創造社会の都市と農村　SDGsへの文化政策
創造性社会に向けたSDGsのゴールとなる経済・社会・環境問題を多方面から捉える
9784880654652　佐々木雅幸 総監修　敷田麻実・川井田祥子・萩原雅也 編　A5判並製　3,000円

ローカルコンテンツと地域再生　観光創出から産業振興へ
コンテンツという文脈で、ローカルの観光と産業を包括的に捉える。変わりゆく地域振興文化
9784880654515　　　　　　　　　　　　　　　増淵敏之 著　A5判並製　2,500円

芸術文化の投資効果　メセナと創造経済
メセナ活動の第一人者が報告する創造経済への企業寄与がもたらす社会像。書評多数 2刷
9784880654508　　　　　　　　　　　　　　　加藤種男 著　A5判並製　3,200円

想起の音楽　表現・記憶・コミュニティ
音楽社会学を元にした記憶・コミュニケーションから考える、「想起」の美学研究
9784880654478　　　　　　　　　　　　　　　アサダワタル 著　A5判並製　2,200円

ワインスケープ　味覚を超える価値の創造
景観保全が産業と生活の価値を向上させる。フランスの都市計画から見るまちづくり
9784880654454　　　　　　　　　　　　　　　鳥海基樹 著　A5判並製　3,800円

ソーシャルアートラボ　地域と社会をひらく
研究者、アーティスト、実践家らが、アートを試行錯誤や実践、メタ的な視点から語る
9784880654461　　　　　　　　　　九州大学ソーシャルアートラボ 編　A5判並製　2,500円

文化芸術基本法の成立と文化政策　真の文化芸術立国に向けて
16年ぶりに成立した「新法」逐条解説。運用上のFAQ、成立過程等の資料等をフル収載 2刷
9784880654409　　　　　　　　　　　　河村建夫・伊藤信太郎 編著　A5判並製　2,700円

まちを楽しくする仕事　まちづくりに奔走する自治体職員の挑戦
行政主導から住民主導へ。そして協働・連携へと変わってゆくために出来ること 2刷
9784880654416　　　　　　　　　　　　　　　竹山和弘 著　A5判並製　2,000円

和菓子 伝統と創造　何に価値の真正性を見出すのか
無形文化遺産「和食」の一翼を担う和菓子の地域文化、観光資源としてのいまを読み解く
9784880654423　　　　　　　　　　　　　　　森崎美穂子 著　A5判並製　2,500円

アーツカウンシル　アームズ・レングスの現実を超えて
芸術と行政が相互に望ましい関係を保ち続けることは可能か。問題点を浮き彫りにする
9784880654287　　　　　　　　　　　　　　　太下義之 著　A5判並製　2,500円

「間にある都市」の思想　拡散する生活域のデザイン
間にある都市という概念により新しい広域計画・地区の計画の可能性を引き出す
9784880654355　　　　　　　　トマス・ジーバーツ 著　蓑原敬 監訳　A5判並製　3,200円

クラシックコンサートをつくる。つづける。　地域主催者はかく語りき
地域に根ざしたコンサートをつくってきた団体を紹介。地方の文化事業のあり方を提言する
9784880654034　　　　　　　　　　　　　　　平井満・渡辺和 著　A5判並製　2,500円

コミュニティ3.0　地域バージョンアップの論理
少子高齢化社会が進み地方都市が縮減する現在、新たな都市の設計ビジョンとは
9784880654133　　　　　　　　　　　　　　　中庭光彦 著　A5判並製　2,500円

学びあいの場が育てる地域創生　産官学民の協働実践
全国へ広がる「遠野みらい創りカレッジ」の活動と、地域運営のあり方を考える。2刷
9784880654126 遠野みらい創りカレッジ 編 樋口邦史・保井美樹 著　A5判並製　2,500円

無形学へ かたちになる前の思考　まちづくりを俯瞰する5つの視座
少子高齢化社会が進み地方都市が縮減する現在、新たな都市の設計ビジョンとは
9784880654065　　　　　　　　　　　　　　　後藤春彦 編著　A5判並製　3,000円

社会・産業・歴史

オペラ・音楽・芸術・アート

指揮者の使命　音楽はいかに解釈されるのか
音楽世界の解釈とは? スコアの価値とは? どう聴きたのしむのか? マエストロが熱く語る
9784880654713　　　ラルフ・ヴァイケルト 著 井形ちづる 訳　A5変判並製　2,200円

[新装版]フラメンコ、この愛しきこころ　フラメンコの精髄
歴史、主体、ジプシー。フラメンコをバイレ(踊り)の実践的視点から問い直す舞踏論
9784880654539　　　　　　　　　　　　橋本ルシア 著　四六判並製　2,700円

[新装版]シューベルトのオペラ　オペラ作曲家としての生涯と作品
舞台作品にかけた情熱と全19作品を解説し歌曲王の知られざる横顔を紹介する
9784880654522　　　　　　　　　　　　井形ちづる 著　四六判並製　2,500円

オペラの未来
あらすじを提示するだけでなく複合体として光を当て意味を明らかにする。巨匠の演出論
9784880654140　　　ミヒャエル・ハンペ 著 井形ちづる 訳　A5変判並製　2,700円

オペラの学校
世界的巨匠ハンペ氏が教える、本当のオペラを知りたいと思う者たちへ向けた講義
9784880653631　　　ミヒャエル・ハンペ 著 井形ちづる 訳　A5変判並製　2,200円

ヴェルディのプリマ・ドンナたち　ヒロインから知るオペラ全26作品
女性を軸にヴェルディの「心理劇」の面白さを今までと異なる視点で解説
9784880654010　　　　　　　　　　　　小畑恒夫 著　四六判並製　3,200円

ヴァーグナー　オペラ・楽劇全作品対訳集 《妖精》から《パルジファル》まで
全13作品をひとつに。現代語で読みやすい新訳、実用的な二分冊で刊行。2刷
9784880653372　　　　　　　　　　井形ちづる 訳　A5判並製二分冊 特装函入　6,500円

[新版]オペラと歌舞伎
日本とイタリアでほぼ同時期に発生した2つの総合芸術。その虚構世界の類似性を探る
9784880652801　　　　　　　　　　　　永竹由幸 著　四六判並製　1,600円

オペラになった高級娼婦　椿姫とは誰か
美貌と教養で資産家や芸術家たちの羨望の的となった彼女らの背景を解き明かす
9784880653044　　　　　　　　　　　　永竹由幸 著　四六判並製　1,600円

日本オペラ史 1953～
二期会設立後の日本オペラの歴史を詳細に記した研究者必携の資料
9784880652597 関根礼子 著 昭和音楽大学オペラ研究所 編 A5判函入上製 12,000円

日本オペラ史 ～1952
明治時代のオペラ移入期から1952年の二期会成立までの歩みを網羅
9784880651149 増井敬二 著 昭和音楽大学オペラ研究所 編 A5判函入上製　5,714円

五十嵐喜芳自伝　わが心のベルカント
日本を代表するテノール歌手であり、名プロデューサーの初の自伝にして遺稿
9784880652733　　　　　　　　　　　　五十嵐喜芳 著　四六判上製　1,900円

イタリアの都市とオペラ
オペラを舞台となった都市や歴史、伝説、楽派から紹介する。新たなオペラの魅力発見
9784880653747　　　　　　　　　　　　福尾芳昭 著　四六判上製　2,800円

オペラで愉しむ名作イギリス文学　チョーサーからワイルドまで
ワイルド『サロメ』など英文学を題材にした知られざる名曲26曲を解説
9784880651712　　　　　　　　　　　　福尾芳昭 著　四六判上製　2,800円

ヴォルフ=フェラーリの生涯と作品 20世紀のモーツァルト
モーツァルトの生まれ変わりと言われる彼の魅力を伊オペラ研究第一人者が紹介
9784880651958　　　　　　　　　　　　永竹由幸 著　四六判並製　2,800円

三河市民オペラの冒険　カルメンはブラーヴォの嵐
素人集団の市民オペラはなぜ成功したのか。感動のドキュメンタリー
9784880652672　　　　　　三河市民オペラ制作委員会 編著　A5判並製　2,200円

ラテン・クラシックの情熱　スペイン・中南米・ギター・リュート
知れば知るほど面白い。ピアソラ、ロドリーゴ、ヴィラ=ロボスらの魅力を紹介する
9784880653204　　　　　　　　　　　　渡辺和彦 著　四六判並製　2,300円

楽団長は短気ですけど、何か?
ビギナーネタから通ネタまで、クラシック音楽を縦横無尽に語る軽妙洒脱なエッセイ。2刷
9784880652023　　　　　　　　　　　　金山茂人 著　A5判並製　1,600円

楷書の絶唱　柳兼子伝
夫である柳宗悦を物心両面で支え、自らも演奏活動を続けた兼子の軌跡を描く
9784880650135　　　　　　　　　　　　松橋桂子 著　A5判上製　3,500円

らアーティストや先生と打ち合わせを重ね、両者の関係を構築し、現場を進めるための仕事です。私たちのワークショップは、子どもたちがアーティストと出会うことで反応が起きて、子どもたちも学校も新しい表現や価値観に気づくところに価値があると思っています。だから、もし関わる人たちでうまくいかなくても、それが良い・悪いと判断をするのではなく、関係する人たちの調整や翻訳をしながら、子どもたちとの出会いの場をつくっていくのがコーディネーターの役割じゃないかなと。「ぐるぐるミックス」はアーティストがコーディネーターの役も担っている部分が興味深いと思いました。

渡邉　「ぐるぐるミックス」の産みの親でもあるアーティストのきむらとしろうじんじんさんの影響もあるかもしれません。じんじんさんは、アーティストの仕事である「つくる」という範囲の捉え方が広いのです。段取りや準備も自身のクリエイティブに含んでいる。それを当たり前のように見てきているせいか、立ち上げのときからコーディネーターを立てていなかったのです。

竹丸　「ぐるぐるミックス」ではやりたいことを説得すべき相手がいないのも〈芸術家と子どもたち〉とは違うかもしれないですね。だからコーディネーターがそこまで必要なかったのかも。

渡邉　「ぐるぐるミックス」は、もともと自主企画として初音幼稚園に活動を受け入れてもらったのでそこは違うかもしれません。

大西　ただ竹丸さんとのピアレビューを境に、その役割を分けようと試みています。特に現場のスタッフは、「アーティストの言葉を信じなければいけない」とか、「読み解かなければいけない」と考えてしまう。そうするとしんどくなってしまいますよね。努力したことの結果が見えにくい現場でもありますし。

渡邉　アーティストは吸引力がありますし存在が強いので、1対1の関係になると「大西のことを一番理解しているのは自分だ」という関係にもなり得ます。そうならないよう3者以上の関係をつくっ

て、風通しをよくしていったほうがいいなと考えています。

大西　そのほうが、僕もアーティストとして集中できるし、スタッフにとってもいいと思います。ぬか床も、かき混ぜることが大事なように。

渡邉　最初に立ち上げてから、しばらくは毎回私も現場に入り、かき混ぜ役を担っていましたが、やがて自分がいなくても回るようにする必要があるんじゃないかと、あえて離れた時期がありました。でも学生スタッフも入れ替わりますし、社会人のボランティアスタッフもずっと続けていけるわけでもない。私自身がコーディネーターとして意識的に振る舞っていけたらと思っています。

子どもたちの「自由」を引き出す

竹丸　「ぐるぐるミックス」のスタッフは、毎回同じメンバーで回しているのですか?

大西　5〜10人くらいいるボランティアスタッフは毎回半分くらいが変わっていて、アーティストと事務局は固定しています。「ASIAS」の学校現場では、先生も子どもも同じ顔ぶれになりますよね。

竹丸　毎日顔を合わせる同じクラスの子ども同士では、「あの子はこうだよね」といった固定観念やヒエラルキーのようなものができていると思います。先生も日常的にそれを見ている。それらを崩すのが、ある意味私たちのワークショップの役目かなとも考えています。先生たちも変わりますが、子どもたちを見ていると、普段の学校生活のなかではやらないことをやり出すんです。それはアーティストの力。そうした日常とは違う子どものふるまいを、定期的に引き出す環境をつくる「ぐるぐるミックス」はすてきです。

渡邉　ただ、いつもと違う場だからこそ自由になれる反面、はじめはその環境に慣れず、不安と戦っている子どももいます。

竹丸　どのくらい通うと慣れるのでしょう?

大西　　1年のうち、慣れてきたかなと感じるのは最後の3カ月く
らいでしょうか。そのくらいでようやく子どもたちと目で会話がで
きたり、こちらも1人ひとりの行動や表現をおもしろいと思ったり
できます。年長の子どもが、年中の子どもと突然意気投合する日が
あったり、あまりしゃべらなかった子が突然ものすごく社交的になっ
たり。そういう変化もあります。

竹丸　　普段は何をしても評価がついてまわる学校生活のなかで、
「今はそんなこと関係ない」というのがアートの力ですよね。特別
支援学級でも、普段は酸素吸入のマスクをしている子が器具を外し
て踊ったり、音に敏感でイヤーマフをつけている子が音のワーク
ショップに参加したり。先生という立場では、やらせないようにし
ていることを子どもたちは積極的にやるんです。それを見て先生た
ちは「えー！」ってなる。先生が「実はあの子はやれるんだな」と
思うことは本人や周りの子どもたちへの影響も大きいのではないで
しょうか。

「参加しない」という参加のしかた

大西　　いろいろな子どもがいるなかで、どのようにその場を一
緒につくっていくのかというのもお伺いしたいです。例えば、素直
に投げられたボールを返せる人もいれば、返すことに戸惑う人も、
うまく返せない人もいますよね。

竹丸　　そこでのワークショップに一見参加していない子どもでも、
私たちは「参加している」と思っています。「参加しません」とい
う意思表示は、その子の参加の方法だと考えているのです。時々教
室から出て行く子どももいますが、それも意思表示です。でも次の
回にはきてくれたりする。子どもに直接「今日のワークショップは
どうだった？」ときくよりも、日常の変化を先生たちからきいたり、
私たちの目で子どもの反応や変化を捉えるようにしています。

大西　子どもによって「場」との距離の取り方はいろいろだなと僕も感じています。「ぐるぐるミックス」を以前、広いホールでやっていたとき、そこにあったピアノの下に隠れている子どもがいました。みんなのいる場には入れないけれど、ピアノの下からそっとのぞくことで参加している。それがその子のちょうどいい距離なんですよね。

竹丸　どうやって一緒につくっていくかが大事で、アーティストと子どもたちは作品をつくったり、一緒に活動したりするなかで表現したいことの質を高めていきます。先生やアーティストも、どうやったらよい場（授業）ができるのかを探求していきます。

　ただ「良い作品をつくること」だけが一人歩きをし、子どもたちを置いてけぼりにしては意味がありません。〈芸術家と子どもたち〉代表の堤康彦が、以前ある報告書で「たとえ今はそれを怒りでしか表せなくとも、たとえ今はそれを表情に表せなくとも、みんな素晴らしい。今の社会の仕組みがいいとは思えないけれど、子どもたちはここを生きていく。目の前の子どもに対して何ができるのかを考えたとき、それはアートだ」という主旨のことを書いていました。互いに認め合うこと、互いに関わり合うこと、時間を共有すること、一緒に作業すること、今何を感じて何を表現しているかが大切なんです。

アーティストと出会った経験が実るときは？

大西　〈芸術家と子どもたち〉では1回のプログラムは数カ月ということでしたが、同じ学校にまた何年後かに行くことはあるのでしょうか？　繰り返しやることが必ずしもいいこととは言えないけれど、長期で関わっていく方法もありますよね。「ぐるぐるミックス」も子どもたちの変化を1年という期間でしか見られないので、そのあたりをどうフィードバックされているのかなと思いました。

竹丸　同じ学校に行くことはあります。回数はいろいろですが、

先生が異動した先でまた呼んでもらうこともあります。児童養護施設などは複数年関わることも多いです。3〜4年かけて関わっている特別支援学級がありますが、そこでは自分たちでやっている学芸会が変わってきたという話を聞きました。そこまで関われると結果として見えてくることはあります。でも、たとえ関わりが1回だとしても、参加した100人のうち数人でも「おお！」と何か感じてもらえているとしたら嬉しいです。その時に全員が同じようにわかるのではなく、その子のなかに残って熟成されていくこともあるのではないかと。それはアートプロジェクトにかかわらず、教育はそういうものかもしれないですよね。「ぐるぐるミックス」ではその後の子どもたちに出会うことはありますか。

大西　2011年、「ぐるぐるミックス」を始めた年から2年間参加していた子がいました。その7年後、小学校の高学年になったその子が、我々のやっている別のイベントに来てくれたことがありました。じんじんさんと一緒にやっている路上でのプロジェクトですが、そのときやっていた路上カラオケにふらっと来て1曲歌ってくれたんです。酔っ払いのおじさんや、地域のおばさんなど、いろんな知らない大人たちがいるなかで、躊躇もせずステージに立つ姿を見て、なんだか感慨深かったです。もしかしたら「ぐるぐるミックス」の経験は、知らない人と接したり、わからないことを聞いたりできる力につながっているのかもしれない、と。竹丸さんは、子どもたちが芸術家と出会った経験が実るときは、どんなときだと思われますか。

竹丸　人それぞれだと思いますが、私はその子にとって、自由に生きていくための「糧」になったときかなと思います。それは職業の選択とかそういうことではなくて。なんでしょう……根拠のない自信ってあるじゃないですか。大西さんや渡邉さんもきっとあるでしょう（笑）。それって「生きていく力」なのかなと。

［構成：佐藤恵美］

プロジェクト熟成のための、
信頼できる他者の存在

渡邉梨恵子 [一般社団法人谷中のおかって代表]

役割を見直すきっかけに

　こども創作教室「ぐるぐるミックス」は、2011年に多くの方に支えられながらスタートしました。アーティストのきむらとしろうじんじんさんや東京藝術大学の熊倉純子先生、熊倉研究室の学生の皆さん、東京都、アーツカウンシル東京（公益財団法人東京都歴史文化財団）の東京アートポイント計画、台東初音幼稚園の園長先生やスタッフの皆さん、活動に賛同してくれたボランティアスタッフ、地域の方々、そして参加してくれる子どもたちや保護者の方などこれまで支えていただいた方は枚挙にいとまがありません。

　運営の方法を模索しながら、どうにか活動7年目を迎えた2017年、&Geidaiのピアレビューに参加させてもらえることとなり、長年、子どもとアーティストが出会う場をつくり続けている「芸術家と子どもたち」に声をかけさせてもらいました。互いに評価し合うには、経験も実績も比べものにならないくらいのベテランアートプロジェクトであり、時間と手間を割いていただくには気がひける部分もありましたが、快く引き受けてくださったときには、告白が成就したような気持ちになりました。

　窓口となってくださった竹丸草子さんは、「芸術家と子ど

もたち」での経験もさることながら、個人として教育コーディネーターやワークショップデザイン、ファシリテーターとしても活躍されており、ピアレビューに取り組むなかで、竹丸さんとの対話から得られた気づきも数多くありました。

「ぐるぐるミックス」の現場に来てくださった際には、客観的な視点から検討や改善が必要と思われる点について言葉にしてくださり、その後すぐに課題について話し合い改善に取り組むことができました。それは、自分たちだけでは気づき得ないものでもあったため、ピアレビューを機に意識化することができました。同時に、自分の役回りや現場での振る舞いについても見直すきっかけとなりました。

「芸術家と子どもたち」の現場見学に行かせていただいた際には、パートナーとなる学校やアーティストとコーディネーターの信頼関係の厚さに、これまでの積み重ねやコーディネートの技術の高さを実感しました。同時に、活動を継続していくためのサポーター集めなど現在も試行錯誤を続け、新たな試みに取り組んでいると伺い、励まされました。

プロジェクトに宿る「らしさ」を見つける

個人的な感覚ではありますが、アートプロジェクトの魅力の1つは、プロジェクトの人格のようなものが継続の中で発酵あるいは熟成され、そこから思いがけない産物が生まれたり、それをさまざまな人と分かち合ったりすることにあると思います。

プロジェクトが「らしさ」を宿しながら豊かに熟成されていくためには、人と同じように、信頼できる他者の存在が必

要です。さまざまな条件や栄養、時には刺激となるようなことも必要だと思います。しかし、プロジェクトに宿る「らしさ」はどこにあるのか、今どんな栄養や要素が必要か、プロジェクトの現場にいる人間だけでは気づけないことも多々あります。そういったときに、ピア（仲間）と呼べる他者の存在がプロジェクトに輪郭を与えてくれる心強いパートナーになると、ピアレビューを通じて改めて実感しました。

　ピアは身近にもいるかもしれないし、遠く離れたところにいるかもしれません。「おーい」と声をかけるには勇気もいりますが、きっとどこかに「はーい」と答えてくれる存在がいるはずです。日本や世界のあちこちで、「おーい」と気軽に声をかけ合える状況ができたら……、そこからさらにおもしろいプロジェクトが生まれていくのではないかという妄想まで膨らみます。ピアレビュー、お試しあれ！

わたなべ・りえこ

一般社団法人谷中のおかって代表。1985年生まれ。日本大学理工学部建築学科卒業。2010年より現職。学生や社会人メンバーと協働し、台東区谷中界隈で「ぐるぐるヤ→ミ→プロジェクト」を展開。「消費」ではなく「発信」「交流」を促す企画を通じて人々の生活圏にアプローチし、まちや人の生命力を育む文化創造の「循環」をつくり出すことをめざし、丁寧な企画のコーディネートに取り組んでいる。

変化を内包する評価

竹丸草子［NPO法人芸術家と子どもたち アドバイザー］

エンパワメントし合う関係を得る

　お互いに現場を見学し、その後対話のプロセスをたどるピアレビューの特徴は、「相互」によるリフレクションの要素がとても大きいことでした。一般的に外部の視点で語られる一方的な評価が多いなか、実際に活動をしている当事者同士がお互いにレビューする。そのなかで見えてくる活動や団体の在り方の差異やギャップは、自分たちの活動の振り返りとしての気づきでした。対話によって得られたフィードバックは、一方的なものではなく、自らがさらに良い場づくりへとすぐに動けるものとして意識され、次に活かしやすくなる。評価とは誰かにつけられるレッテルではなく、評価によって次へのアクションや改善が行われるものであることに意味があると改めて感じました。

　「谷中のおかって」と「芸術家と子どもたち」はアーティストと子どもが場づくりをしている点では同じですが、「ぐるぐるミックス」には日常の中にアーティストが入り込み、気がついたら子どもたちもじんわりとユニークになっているという特徴がありました。「ぐるぐるミックス」は年間で関わることが決まっているプログラムである一方で、「芸術家と子どもたち」は一定期間のプロジェクト型であることも、

アーティストの在り方を位置づける重要な特徴だと思います。ただ、やり方は違うけれど子どもたちのなかに最終的に現れてくるものは一緒であり、アーティストと子どもたちの出会いを通して豊かな社会をつくりたいと思っていることも一緒でした。2つの団体の差異から得られる特徴や気づきを、それぞれが強みや弱みとして認識することで、自身の活動をメタに見られるようになったと思います。他者からもらう言葉は、いつも新しい発見であふれていました。

　もう1つの特徴的な変化は、ピアレビューの対話を通して、お互いが「徐々にエンパワメント」されたことでした。この「徐々にエンパワメント」がピアレビューのポイントで、お互いを見合う時間のなかで、団体の活動の変化や個人の変化を含みながら、自分たちの団体内にも、相互にも、よりよい関係性をつくり出していける評価でした。

　相互に振り返り、自分たちの強みを知り、活動をメタに見ながら次の場づくりへ活かしていける言葉を持つこと。お互いを知ることでエンパワメントし合う関係がつくられること。ピアレビューという「評価」は、何かを結論づけるような「点」の評価ではなく、プロセスという「時間軸」を持ち、変化を内包する評価であるのではないかと思います。

たけまる・そうこ

NPO法人芸術家と子どもたちアドバイザー。NPO法人こととふラボ理事。NPO法人ワークショップデザイナー推進機構理事。デザインユニットつむり代表、アルテナラ代表。セレクトショップの開発・店舗運営会社、雑誌・広告の制作ディレクターとして制作会社勤務を経て、現在はフリーランスの教育コーディネーター、ファシリテーター。企業や団体、地域行政へ向けてワークショップデザインやファシリテーションを行う。

サポーターの比較検証から
プロジェクトを見直す

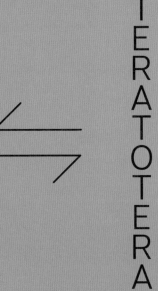

音まち千住の縁
アートアクセスあだち

TERATOTERA

音まち千住の縁

TERATOTERA

東京・千住地域を拠点に活動する〈アートアクセスあだち 音まち千住の縁〉
（以下、音まち）。ピアレビューを通じ、サポーターの役割を見直します。
パートナーに選んだのは、〈音まち〉と同じく、
「東京アートポイント計画*」事業としてスタートした
〈TERATOTERA（テラトテラ）〉でした。

〈音まち千住の縁〉メンバー

吉田武司さん　　長尾聡子さん

〈音まち千住の縁〉が抱える問題意識

事業スタート時から〈音まち〉を支え
てくれていたのが公式のサポーターチー
ム「ヤッチャイ隊」。ヤッチャイ隊から
は今もさまざまな活動が派生しています。
一方で、事業開始から7年が経ち、当
初の〈音まち〉の原動力であったヤッチャ
イ隊の関わりが、年々薄れていったこ
とに悩んでいました。

〈TERATOTERA〉を選んだ理由

・ともに多くのサポーターが関わっており、「TERACCO（テ
ラッコ）」と呼ばれるサポーターのチームがある。
・扱うテーマは異なるが、東京アートポイント計画の共催
団体同士である。

＊2009年に始まった、ひと・まち・活動をつなぐアートプロジェクト。地域社会を担うNPOとアートプロジェクトを展開することで、無数の「アートポイント（文化創造拠点）」を生み出す、東京都、アーツカウンシル東京（公益財団法人東京都歴史文化財団）による事業。2009〜2014年度は東京文化発信プロジェクト室、2015年度以降はアーツカウンシル東京。

サポーターの関わりかた

サポーターはどのように関わっているのか。多くのサポーターが関わる〈TERATOTERA〉を相手に選び、事業自体の規模や継続年数、予算も含め、比較をしました。

方法

・プログラムの相互視察
・事業規模、予算費目、運営体制、法人形態の比較
・サポーターの比較

〈TERATOTERA〉メンバー
高村瑞世さん

〈音まち千住の縁〉に声をかけられて

まず「ピアレビュー」って何だろう？と思いました。「サポーターの比較をしたい」と言われたけれどどうやって？と。ですが、ほかのアートプロジェクトのイベントや展示を見ても、具体的に比較をしたことはなく、自分たちのプロジェクトを振り返るにもよい機会だなと思いました。

プロセス

〈TERATOTERA〉のプログラム「TERATOTERA祭り2017」を視察
↓
〈TERATOTERA〉の事務局長（高村さん）に依頼
↓
高村さんが〈音まち〉のプログラム、大巻伸嗣「Memorial Rebirth 千住2017関屋」を視察
↓
資料（事業計画書、予算書）を交換、高村さんが音まち大忘年会（プロジェクトをまたいだ交流会）を視察
↓
〈音まち〉がテラッコ屋（「TERACCO」の定例会議）を視察、交流会にも参加
↓
お互いのプログラムやサポーターの様子について意見交換

上：大巻伸嗣「Memorial Rebirth 千住 2014 太郎山」（2014年）。Photo: Hajime Kato／左下：アサダワタル「千住タウンレーベル『聴きめぐり千住！』」（2018年）。Photo: Ryohei Tomita／右下：「イミグレーション・ミュージアム・東京『フィリパビポ!!』」（2016年）。Photo: Ryohei Tomita

アートアクセスあだち

音まち千住の縁

OTOMACHI (Art Access Adachi: Downtown Senju - Connecting through Sound Art)

音まち千住の縁

足立区にアートを通じた新たなコミュニケーション（縁）を
生み出すことをめざす市民参加型のアートプロジェクト。
足立区千住地域を中心に、市民とアーティストが協働して、
「音」をテーマとした多様なプログラムをまちなかで展開しています。

運営主体：東京都、アーツカウンシル東京（公益財団法人東京都歴史文化財団）、
東京藝術大学音楽学部・大学院国際芸術創造研究科、特定非営利活動法人音まち計画、足立区
事務局人数：5人（2018年時）
活動拠点：東京都足立区千住地域ほか
活動開始：2011年

おもな事業内容 ※2018年時

大巻伸嗣
Memorial Rebirth 千住 ············· 　無数のシャボン玉によって、見慣れたまちなみを光の風景へと変貌させるアートパフォーマンス。地域住民との協働でまちをリレーし展開。

野村誠　千住だじゃれ音楽祭 ············· 　だじゃれから生まれる新たな音楽の可能性を探求するプロジェクト。2014年には魚市場で1010人の演奏者による市民参加型コンサート「千住の1010人」を開催。

イミグレーション・ミュージアム・東京 ······ 　日本に暮らす海外ルーツの人々との交流を通して企画されるアートプロジェクト。

アサダワタル　千住タウンレーベル ······ 　千住で生活してきた市井の人々の記憶やエピソード、まちに息づく音楽などを編集し、新しいローカルサウンドメディアを制作・発信する音楽レーベルプロジェクト。

千住・縁レジデンス ························· 　「仲町の家」を拠点に活動する若手アーティストを迎える滞在制作型プログラム。

沿　革

2011年　秋から本格始動。千住のまちにデビューする4人のアーティスト（足立智美、大友良英、野村誠、大巻伸嗣）を紹介するキックオフ・フォーラム「デビュー！デビュー！デビュー！」を東京藝術大学千住キャンパスで開催。

2012年　足立区制80周年を記念して、メイン会期「千住を音で円る秋、六つの週末」を設け、8人の参加アーティストが千住地域各所（足立市場、荒川河川敷、商店街放送など）でプログラムを展開。

2013年　初期3年間の活動を振り返る『アートアクセスあだち 音まち千住の縁 2011-2013 ドキュメント』を発行。音まちのサポーター「ヤッチャイ隊」の4人に聞いたインタビューも収録。

2016年　千住仲町にある日本家屋をプロジェクト拠点「仲町の家」としてオープン。2018年からは千住の文化サロンとして土日月・祝日に開室。

2018年　8回目の「Memorial Rebirth 千住」が初めて千住を飛び出し、荒川を越えて足立区西新井で開催。

上：野村誠「千住だじゃれ音楽祭『風呂フェッショナルなコンサート』」（2012年）。Photo: Kosuke Mori／中：大友良英「千住フライングオーケストラ」（2012年）。Photo: Keiji Takashima／下：「千住・縁レジデンス」より、表現(Hyogen)「茶MUSICA」（2018年）。Photo: Ryuichiro Suzuki

上：淺井裕介、遠藤一郎の作品（TERATOTERA祭り、2016年）。Photo: Hako Hosokawa／左下：「駅伝芸術祭」より。Photo: Takafumi Sakanaka／右下：「リアリー・リアリー・フリーマーケット」より。Photo: Ujin Matsuo

TERATOTERA
テラトテラ

TERATOTERA

　JR中央線高円寺駅〜国分寺駅区間を中心とする杉並、武蔵野、多摩地域に点在するアートスポットをつなぎながら、現在進行形のアートを発信するプログラムを展開しています。プログラムの企画・運営の実践を通じ「TERACCO（テラッコ）」というボランティアの人材育成にも注力し、2018年にはTERACCOのコアメンバーによるアート活動を支える組織「Teraccollective（テラッコレクティブ）」が設立されました。

運営主体：東京都、アーツカウンシル東京（公益財団法人東京都歴史文化財団）、一般社団法人Ongoing
事務局人数：3人（2018年時）
活動拠点：東京都武蔵野市
活動開始：2009年

おもな事業内容 ※2018年時

TERATOTERA祭り ———————— まちなかでのアート展をはじめ、パフォーマンスやトークイベントを盛り込んだ展覧会。

[TERACCO企画] 踊り念仏 ———— 演出家、民俗芸能アーカイバーの武田力を招き、参加者がパフォーマーとして街に繰り出す企画。

[TERACCO企画] 駅伝芸術祭 ———— スポーツとアートを組み合わせた1日限りの企画。

TERA English ———————————— 作品展示やアートプロジェクトなどアートの現場で必要とされる英語表現を身につける講座。

アートプロジェクトの0123 ———— アートプロジェクトをつくるための知識や技術を学ぶ連続講座。さまざまなゲストを招き、ディスカッションや実践を重ねるゼミ形式の講座。

沿 革

2009年 Art Center Ongoing代表の小川希を中心に、JR吉祥寺駅から高円寺駅区間を対象エリアとしてプロジェクトが始動。TERATOTERAという名称は、〈寺〉と〈寺〉を結ぶ（高円〈寺〉to吉祥〈寺〉）、あるいはTERRA＝大地、地球をつなげるという意味。

2010年 アートプロジェクトのノウハウを通年で学ぶ連続講座として「アートプロジェクトの0123（オイッチニーサン）」を開講。

2011年 吉祥寺駅エリアで「TERATOTERA祭り」を開催。

2016年 東南アジア諸国で活躍する若手アーティストを招聘し、地域と連携しながら作品制作から発表までを行う「TERATOSEA（テラトセア）」がスタート。

2018年 TERACCOの歴代コアメンバーを主体とする16名によりアート活動を支える組織としてTeraccollectiveを設立。

上：加藤翼「いせやCALLING」（TERATOTERA祭り、2012年）。／中：「アートプロジェクトの0123」より。／下：「TERATOSEA」より。Photo: Takafumi Sakanaka

さまざまな角度からサポーターを比較

両プロジェクトのサポーターチーム「ヤッチャイ隊」[*1]と「TERACCO」。
〈アートアクセスあだち 音まち千住の縁〉（以下、音まち）では事業スタートから数年経ち、徐々に運営面を支えるサポーターが減っている実感がありました。
「ヤッチャイ隊」のありようと可能性を見つめ直すべく、
プロジェクトの規模も継続年数も似ている〈TERATOTERA〉の
「TERACCO」とさまざまな角度から比較を試みました[*2]。

*1：「ヤッチャイ隊」は、2011年に〈音まち〉の公式サポーターチームとして発足。2013年に発足した「千住ヤッチャイ大学プロジェクト実行委員会（通称・千住ヤッチャイ大学）」は「ヤッチャイ隊」メンバー有志が立ち上げ、〈音まち〉から独立した自主企画を行っている。
*2：以下、比較に使用したデータはすべて2017年度当時。

1. プロジェクトと運営

事業継続年数と事業数

　まず、サポーターの関わりの前提となる基礎的な項目として「事業継続年数」と「事業数」を確認しました。「事業継続年数」では、〈音まち〉は7年目。〈TERATOTERA〉は9年目で、2年早くスタートしています。年間の「事業数」は、〈音まち〉が6事業、〈TERATOTERA〉が6事業でした。

[音まち千住の縁]

・事業継続年数：7 年目
　（2011年〜）
・事業数：6 事業
　（年間来場者数：約5,800人）

→ Memorial Rebirth 千住、千住だじゃれ音楽祭、イミグレーション・ミュージアム・東京、千住タウンレーベル、千住・縁レジデンス（表現（Hyogen）「茶MUSICA」／友政麻理子）

[TERATOTERA]

・事業継続年数：9 年目
　（2009年〜）
・事業数：6 事業
　（年間来場者数：約7,300人）

→ リアリー・リアリー・フリーマーケット、西荻映像祭、パフォーマンス・デイ、TERATOTERA祭り、シンポジウム「西を動かす」、アートプロジェクトの0123（オイッチニーサン）

事業予算

　次に、お互いの「事業予算」を比べてみました。双方の予算費目[*1]ごとの割合を比較したところ、〈音まち〉の「出演・音楽・文芸費」[*2]は20%、「会場・舞台費」は9%、「謝金・旅費・宣伝費」は13%、「管理費」[*3]は58%を占めています。一方、〈TERATOTERA〉の「出演・音楽・文芸費」は14%、「会場・舞台費」は11%、「謝金・旅費・宣伝費」は13%、「管理費」は62%を占めていました。

　両者を比べると、事業のベースとなる事務局の運営にかかる「管理費」が約6割、事業実施にかかるその他の項目があわせて約4割と、ほぼ割合に大きな差がなく、双方とも運営に関する予算措置が似ていることが明らかになりました。

*1：どちらも「東京アートポイント計画」事業（本書、p.74）の予算書フォーマットを参考に費目を分けた。
*2：企画を制作するための費用。アーティストへの謝金のほか、企画ごとに関わる専門スタッフやコーディネーターなどの人件費も含まれる。
*3：事務局運営費。年間を通じて運営を担う事務局スタッフの人件費も含まれる。

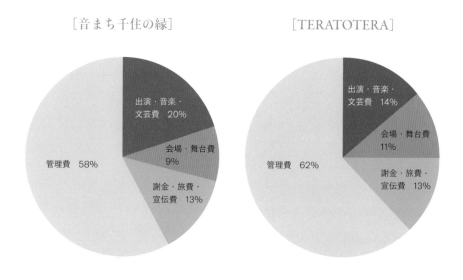

［音まち千住の縁］　　　　　［TERATOTERA］

運営体制／サポーターの役割

　続いて事務局を中心とした事業の「運営体制」を比較しました。〈音まち〉では、プロデューサー、事務局（NPO）スタッフとともに、東京藝術大学でアートマネジメントを専攻する学生が、実践を学ぶ授業の一環として運営に携わっています。2週間に一度開かれる「全体会議」には、〈音まち〉を共催するアーツカウンシル東京、足立区シティプロモーション課の担当者も加え総勢20名程が集まります。〈TERATOTERA〉の事務局はディレクターを含め3名でした。

　ここで「サポーターの役割」を見てみましょう。〈音まち〉のそれぞれのアートプログラムには、公募などで一般から集まったプロジェクトメンバーで構成

[音まち 千住の縁]

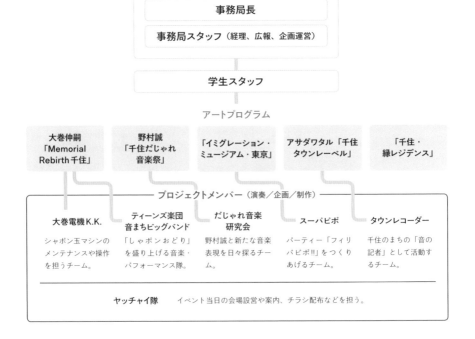

されるチームがあり、プログラムに応じて演奏者や制作者として、あるいは企画提案を行い活躍しています。また、運営を支える「ヤッチャイ隊」がごく少数います。一方〈TERATOTERA〉では、事務局の統括やサポートのもと、「TERACCO」がアートプログラムの実施に必要な地域との調整や広報、記録のほか作品制作補助や進行管理などをチームにわかれて分担し、すべての企画の運営を支える中心的な役割を担っています。

こうしてみると、「サポーターの役割」の違いは、双方の「運営体制」の特色とも関わりがあることがわかってきました。

[TERATOTERA]

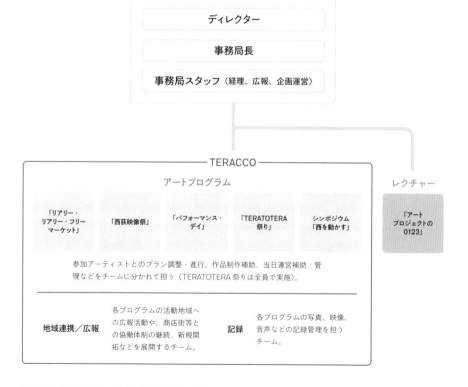

2. サポーターの姿

属性（性別／年齢）

　ここからは、プロジェクトにサポーターとして関わる人材の姿を具体的に見ていきました。まず、それぞれ比較対象となるグループ[*1]を抽出し、コアな関わりのあるメンバーの「性別」と「年齢」を比較しました。「性別」では、双方の男女比に大きく差がありました。また、「年齢」を見ると、特に20代と30代、次に40代の割合に差があります。「ヤッチャイ隊／ヤ大」は30〜40代が9割を占め、男性の割合が高いのに対し、「TERACCO」は20代と40代が各3割、30代が2割、あわせて20〜40代が8割を占め、女性が多いことがわかります。

* 1：〈TERATOTERA〉は33人の「TERACCO」、〈音まち〉は「ヤッチャイ隊」としては事実上ほぼ活動していないため、便宜上ヤッチャイ隊メンバーを軸に構成された「千住ヤッチャイ大学（ヤ大）」に関わる人々を中心とした25人（ここでは「ヤッチャイ隊／ヤ大」と表記）を抽出している。

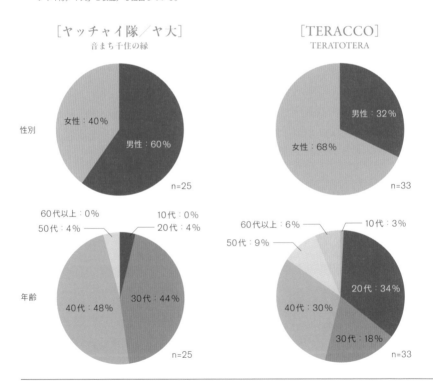

[ヤッチャイ隊／ヤ大]
音まち千住の縁

[TERACCO]
TERATOTERA

性別

女性：40%
男性：60%
n=25

男性：32%
女性：68%
n=33

年齢

60代以上：0%
50代：4%
10代：0%
20代：4%
40代：48%
30代：44%
n=25

60代以上：6%
50代：9%
10代：3%
20代：34%
40代：30%
30代：18%
n=33

参加年（継続年数）

　〈音まち〉の「ヤッチャイ隊／ヤ大」として活動しているメンバーの大半は、初年度と2年目に加わっており、新たに加わるメンバーは近年では減少しています。一方で〈TERATOTERA〉の「TERACCO」は、初期からのメンバーのみならず、継続して一定の新メンバーが加わっており、2015年を中心としてこの数年で増加傾向にありました。

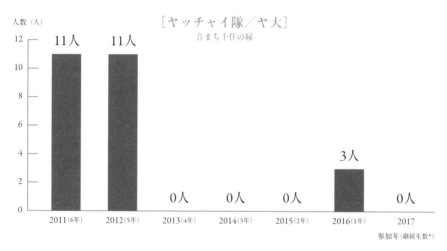

［ヤッチャイ隊／ヤ大］
音まち千住の縁

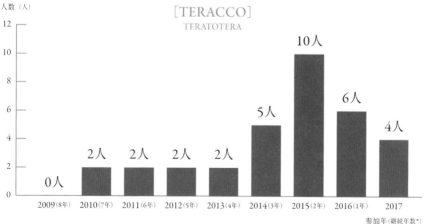

［TERACCO］
TERATOTERA

＊継続年数は目安。過去参加メンバーの中には途中で活動を休止している人も数名含まれる。

1年間のスケジュール

　この項目では、それぞれのプロジェクトの中からコアに関わっている方を1人ずつ事例として挙げ、事業への関わりかたや1年間のスケジュールを比較してみました。

［ヤッチャイ隊／ヤ大］
音まち千住の縁

Aさん
［40代／男性／土木関係　2011年より参加］

大学の同級生の音楽仲間から参加を勧められ、2011年に作曲家・足立智美が足立市場でのコンサートのために作曲した「ぬぉ」の演奏者として参加。「ヤッチャイ隊」最古参の1人。

［TERACCO］
TERATOTERA

Bさん
［60代／男性／無職（2017年退職）　2011年より参加］

元編集者・記者で、アートの現場を見てみたいという動機から関わりはじめる。来場者として参加した〈TERATOTERA〉のトークイベントでTERACCOを募集していたのがきっかけ。

[関わりかた]

まちの人
地域住民との関わりが深く、千住地域内外の他団体の活動にも積極的で、顔が広い。

事務局
現事務局よりも〈音まち〉への関わりが長く、事務局を担うNPOの理事でもある。

アーティスト
〈音まち〉の全企画にさまざまな形で関わっているため全アーティストに知られていて信頼も厚い。

[関わりかた]

まちの人
あまり関わりはない。

事務局
現事務局長、スタッフより先に活動に関わりはじめている。事務局長と飲み仲間で、愚痴を聞くこともある。

アーティスト
作家の担当になることは少ないが、飲み会に常に参加しているので話す機会は多い。

[Aさんの1年]

4月	「だじゃれ音楽研究会（だじゃ研）」*¹の活動日。今年度の事業内容の打ち合わせとセッション。
5月	だじゃ研の活動日（以降、毎月定例参加）。だじゃ研リーダーとしてテレビ番組の取材に出演。「千住ヤッチャイ大学（ヤ大）」をきっかけに結成した「タコテ座」では絵本の読み聞かせ会を実施。
6月	〈音まち〉PR企画として足立区「しょうぶまつり」に参加し、楽器づくりワークショップ講師を務める。自主制作映画（自身も出演）の上映会にヤ大スタッフとして参加。
7月	だじゃ研のテレビ取材対応。「イミグレーション・ミュージアム・東京」の「フィリパピポ!!」で演奏。ヤ大企画にスタッフとして参加。「タコテ座」の読み聞かせを実施。
8月	だじゃ研で「こども歌づくりワークショップ」にスタッフとして参加、「だじゃれ音楽研究大会」に出演。
9月	「Memorial Rebirth 千住」（通称・メモリバ）の音まちビッグバンドのリハーサルに参加。
10月	だじゃ研の活動日で2月の公演の打ち合わせとセッション。音まちビッグバンドのリハーサル。ヤ大の助成金の成果報告会、定例ミーティングに出席。
11月	メモリバ本番に音まちビッグバンドで出演。
12月	2月実施予定のヤ大企画の打ち合わせ。
1月	2月の公演にむけて自主練も行う。千住タウンレーベル「聴きめぐり千住！」に出演。
2月	千住だじゃれ音楽祭「かげきな影絵オペラ」の公演本番に出演。ヤ大企画の打ち合わせ。
3月	特になし。

＊1：〈音まち〉の野村誠「千住だじゃれ音楽祭」に参加する市民有志による音楽団体。

[Bさんの1年]

4月	毎月開催される「テラッコ屋」に参加。
5月	TERACCO説明会に参加。飲み会にも参加。
6月	「リアリー・リアリー・フリーマーケット」での出店内容を「テラッコ屋」で検討。
7月	「リアリー・リアリー・フリーマーケット」に写真撮影、会場案内として参加。
8月	「西荻映像祭」に参加。作家の搬入補助。飲み会にも参加。
9月	特になし。
10月	「パフォーマンス・デイ」に参加。「TERATOTERA祭り」の作家補助。
11月	「TERATOTERA祭り」に作家の担当として運営参加。作家との会場下見（事務局も同行）、作品紹介文、当日の監視など。
12月	忘年会の企画、買い出し、料理。
1月	記録冊子の打ち合わせに参加。
2月	記録冊子の編集。
3月	旅行の企画。

原動力としてのサポーターの存在を
見直す機会に

吉田武司 ［アートアクセスあだち 音まち千住の縁ディレクター］
長尾聡子 ［アートアクセスあだち 音まち千住の縁事務局長］

〈音まち〉の宝

　「ヤッチャイ隊は〈音まち〉の宝だ！」。これは以前、足立区の担当者の方から聞いたことばです。〈アートアクセスあだち 音まち千住の縁〉（以下、音まち）の公式サポーター「ヤッチャイ隊」。「まちデビューしてみませんか」という謳い文句で、〈音まち〉スタートの2011年から募集をはじめたチームです。基本的にはイベント当日の会場設営や案内、広報活動など、事務局と一緒に〈音まち〉の運営を支える活動が中心*1ですが、それ以外にもメンバー間で自主的な交流会（という名の飲み会）を開いたり、自分たちでイベントを企画する「千住ヤッチャイ大学プロジェクト実行委員会」（通称・千住ヤッチャイ大学〈ヤ大〉）をつくってみたりと、いわゆる「サポーター」と呼ばれる領域を超えて活動しています。

　初期のヤッチャイ隊のミーティングで、年代や職業、住まいや興味関心の異なる人たちが大勢集まって、楽しそうに、そして我が事のように話している光景を目にして、本当に「宝」

だなと思ったことを鮮明に覚えています。ただ、時が経つに
つれて、〈音まち〉と同様に、ヤッチャイ隊のメンバーもひ
とつずつ歳を重ね、家族が増えたり、職場での立場が変わっ
たり、転職や移住をしたり……。個人の生活環境が変化して
いくうちに、年々関わる人が減りはじめています。担当する
事務局スタッフや学生の入れ替わり、活動拠点の引っ越しと
いった〈音まち〉の変化が重なったことも、状況に拍車をか
けているのかもしれません。

　あんなに活気があったのに、ふと気づけば事実上「風前の
灯」状態となっているヤッチャイ隊。〈音まち〉におけるサポー
ターの存在とは何なのか……。ピアレビューに取り組むこと
になって、〈TERATOTERA〉の事務局長・高村瑞世さんに
声をかけたのは、このように漠然と抱いていた危機感（もや
もや）がはじまりでした。

〈TERATOTERA〉とのピアレビュー

　〈TERATOTERA〉にも「TERACCO」と呼ばれるサポー
ターチームがあることは以前から耳にしていました*2。ピア
レビューがスタートし、高村さんと資料を交換したり、お互
いの現場に出向いたりしながら、話し合いを重ねていくと、
サポーターの在りようを糸口に、芋づる式にお互いの事業の
枠組みやコンセプトの比較になっていき、これまで見落とし
ていたことに気づいたり、今後の展開につながるアイディア
を思いついたり、得るものが多い機会となりました。

サポーターの関わりかた

　〈音まち〉と〈TERATOTERA〉は、それぞれ東京の東／西で中長期的に事業を継続し、運営に関する予算配分も似ていますが、実際の運営体制を見直してみると、サポーターの関わりの違いが見えてきました。

　〈音まち〉の運営には、東京藝術大学のアートマネジメントを専門とする研究室の教員と、学部1年生から博士、研究生まで学生たちが授業として参加しています。また、共催する足立区やアーツカウンシル東京の担当者たちの協力も得られます。これらの人的資源が運営の基盤を支え、〈音まち〉の隠れた強みとなっていることをあらためて認識しました。事務局（NPO）だけでなく、こうした共催チームが手を組んでいるからこそ、運営を支えるヤッチャイ隊が少なくても何とかまわっていること。ヤッチャイ隊の新たな人材募集にも最近ではあまり積極的に注力していなかったと気づきました。

　一方〈TERATOTERA〉には幅広い年齢層のTERACCOが参加しています。20代も多く、さまざまな大学からアートやアートマネジメントを実践的に学びたい若者が集まっています。また、学生だけでなくさまざまなバックグラウンドを持った大人たちも集まっており、家や仕事でできない関わりが可能なもう1つの「居場所」として、それぞれの立場で楽しみながら活動していました。TERACCOは毎年新規メンバーが加わり、企画の担当だけでなく、広報や記録、編集なども担います。アドミニストレーションに従事したり、あるいは自身の学びの場として参与したりするTERACCOが一定数存在することが〈TERATOTERA〉の大きな強みと

言えそうです[3]。

<u>横串を通す</u>

　ピアレビューでは、より具体的なサポーター像を探るべく、双方に関わっているコアメンバーのスケジュールも追ってみました。ヤッチャイ隊のAさんは、日々誘ったり誘われたりしながら企画のプレイヤー（演奏者）として、〈音まち〉の「千住だじゃれ音楽祭」での活動を中心に、「Memorial Rebirth 千住」や「イミグレーション・ミュージアム・東京」などプログラムを渡り歩き、派生事業のヤ大も含め、年間を通じて精力的に活動に参加していました。一方、TERACCOのBさんは、メンバーの交流に欠かせない毎回の飲み会で大事な役割を果たしているようです。忘年会の料理、旅行の企画も行い、他方では、元編集者・記者としての経験に裏打ちされたスキルを生かし、記録冊子の編集を引き受けていました。

　2人のアプローチは、ヤッチャイ隊・Aさんが企画の「舞台の上にいる人（プレイヤー）」、TERACCO・Bさんがどちらかというと運営を支える「縁の下の力持ち」と、対照的なのですが、実は（結果として）共通して、各プロジェクトに関わる参加者間に横串を通す役割を果たしているのでした。

プラットフォームとしてのヤッチャイ隊
ヤッチャイ隊からヤ大へ

　ピアレビューでの気づきを得て、ヤッチャイ隊の存在をより深掘りすべく、過去の募集チラシや企画書類、グループメールでのやり取りまで、関連するさまざまな資料を洗いざらい

調べ直しました。次頁の図は、3つの時期の〈音まち〉とヤッチャイ隊／ヤ大の関係図からその変遷をたどるものです。

　〈音まち〉が始まり、ヤッチャイ隊が結成された2011年には、4人のアーティストとそれぞれ協働する演奏／企画チームができ、別立てでヤッチャイ隊がいて、なかには、両方を兼ねるメンバーもいました。2012年に、〈音まち〉の活動拠点「音う風屋」*4ができると、ヤッチャイ隊が運営を主体的に担い、千住のまちと拠点のつなぎ役になっていきました。続いて2013年、音う風屋での活動が盛り上がるにつれ、これまで〈音まち〉のサポーターとして活動していたヤッチャイ隊のメンバーたちが、自分たちでも手づくりの企画をもっと自由に発信したいと、有志メンバーで「千住ヤッチャイ大学（ヤ大）」（〈音まち〉から独立した団体／事業）を立ち上げ、音う風屋の運営を〈音まち〉とヤ大で一緒に行うようになりました*5。

ヤッチャイ隊と音う風屋が果たした役割

　当時のメンバー間のやり取りをメールから遡っていくと、音う風屋という場所があったことで、〈音まち〉に関わるプロジェクトメンバーと、ヤッチャイ隊との接点が急速に増えていったことがわかります。お互いのプログラムに誘い合うことで、いつしか誰もがヤッチャイ隊のような存在になり、〈音まち〉全体をつなぐ横串のような役割を担っていました。また、ヤッチャイ隊は、ことあるごとにメンバー同士の自主的な飲み会を開いたり、時には夜遅くまで「音う風屋でこんなことがしたい！」と語り合ったりしながら関係を深めていました。その結果として、ヤ大が誕生。これに呼応するかのよ

「ヤッチャイ隊」と「千住ヤッチャイ大学プロジェクト実行委員会」の変遷

〈音まち〉におけるヤッチャイ隊と、その後生まれた千住ヤッチャイ大学の変遷をたどる。初期のヤッチャイ隊には、複数のプログラムを横断する人が少なからずいた。今も新たなプログラムの立ち上がりや要所で顔を出すのはこれらの初期メンバーたちで、最近のプロジェクトメンバーは、参加したプログラムのみに固定する傾向にある。

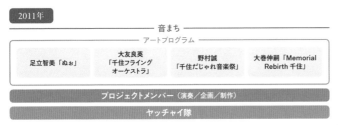

2011年、〈音まち〉全体の公式サポーターチームとして「ヤッチャイ隊」が発足。運営サポートや広報サポートなど、横断的に全てのプログラムに関わっていた。また、「ヤッチャイ隊」担当の専属の学生スタッフが存在した。

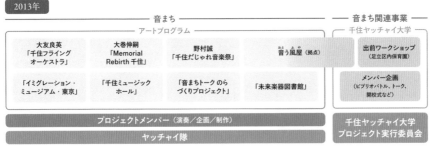

2013年、「ヤッチャイ隊」のメンバー有志が「千住ヤッチャイ大学プロジェクト実行委員会」を設立。〈音まち〉関連事業として、音う風屋などで自主企画を独自に展開した。

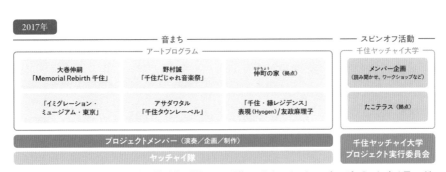

千住ヤッチャイ大学は、2015年から3年間外部資金を獲得し、その予算でマネジメントスタッフ（コーディネーター）を雇い、活動を継続させた。2017年夏に、拠点「たこテラス」が終了となり、その後も寺やアートスペースなど千住エリアのさまざまな場所でイベントを実施した。2018年以降、活動は縮小し、2019年は一部メンバーが足立智美「ぬぉ」の再演に向けて活動した。

うに、ヤ大のほかにもさまざまな縁が連鎖し、自主的な活動
や拠点がこの時期以降〈音まち〉から派生していきます。

「縁」をつむぐために必要なこと

<u>活動が派生すること</u>

　〈音まち〉全体を支えるヤッチャイ隊と、拠点の音う風屋が、
プロジェクトメンバーのコミュニケーションを誘発し、つな
ぐプラットフォームとなっていたこと。音う風屋に存在した
濃密な空気が、〈音まち〉という、多様な人々のコラボレーショ
ンで成立しているアートプロジェクト内において参加者同士
の「接続／接触」を増やし、プロジェクトのエネルギーを生
み出すエンジンとなり、さらにさまざまな活動や団体を新た
に生み出していく起爆剤ともなっていたのでした。〈音まち〉
としてはヤッチャイ隊（サポーター）の減少が課題でもある一
方で、こうした複数のスピンオフ活動が生まれていることや、
メンバーがまちに巣立っていくことそのものが、事業を続け
てきたからこその成果物（〈音まち〉の財産）と言えます。1つ
の大事な評価指標ともなるのではないでしょうか。

<u>新たな拠点「たこテラス」がヤ大の活動を支える</u>

　〈音まち〉の拠点はその後、千住旭町のマンションへの移
転（2014年）を経て、2016年に千住仲町にある日本家屋「仲
町の家」へと移りました。その間も、ヤ大が活動の色合いを
増したのは、ヤ大が独自に借り、みんなで掃除やリノベーショ
ンをして運営していた「たこテラス」（2015年秋〜2017年夏）の
存在が大きいと考えられます。千住ほんちょう公園（通称・タ

上：ヤッチャイ隊（初期メンバー）「音う風屋」前にて。／下：千住ヤッチャイ大学の活動拠点「たこテラス」。

コ公園）の目の前にある空き家を活用したもので、道に面して外にオープンなこの空間は、通りがかりの人も中が覗け、公園に来たこどもたちが気軽に遊びにくるような場になりました。ワークショップや展示、ライブなど、ヤ大メンバーが内外から持ち寄ったバラエティ豊かな企画が催され、初期の音う風屋を彷彿とさせる場所でした。残念ながら2年ほどの活動の後、持ち主の事情により惜しまれながら閉じることとなりました。

　現在は、〈音まち〉公式の拠点「仲町の家」がありますが、

音まち千住の縁 × TERATOTERA

095

たこテラスや、かつての路面店跡の音う風屋のようにヤッチャイ隊／ヤ大が自在に企画できる空間ではなく、濃密な「縁」を生み出すには至っていません。その代わり、最近は新たにパイロットプログラムとして、さまざまに派生した別の活動が出入りするようになっています。

次への活動のバネに

　ピアレビューに取り組んでみて、日々の業務をこなすだけで精一杯な状態にも関わらず、それ以外の余裕なんてあるのだろうかと、最初は事務局メンバーの誰もが不安でいっぱいでした。ですが、ピアレビューを通してTERACCOという比較対象を得たことで、ヤッチャイ隊の存在に向き合う機会が持てました。ヤッチャイ隊の役割がいわゆる事業運営のサポートではなく、参加者同士をつなぐプラットフォームであり、「縁」をつないでいくための隠れた原動力だったこと。我々が求めていたのは、千住でさまざまな「縁」を自主的に育んでくれる人たちだったのかもしれない。それが自分たちの中で明確になったことで、2020年に10年目を迎える〈音まち〉の今後のビジョンをつくるうえでの布石にもなりました。〈TERATOTERA〉の高村さんとは「今後も続けたい！」と意気投合。もし活動に行き詰まったときには相談したい、心強い仲間ができました。

＊1：ヤッチャイ隊の募集チラシ（2012年）では、「ヤッチャイ隊って？」の項で次のよ
うに紹介されている。「『音まち千住の縁』の事業サポートなどを『やっちゃいたい！』
という人々の集まるボランティアチームが『ヤッチャイ隊』です。かつて千住で栄
えていた青物市場（やっちゃ場）で『ヤッチャ』という競りの掛け声が盛んに聞か
れたことが名前の由来。メンバーは社会人層を中心に、10代〜60代の人々が、足
立区内外を問わず集まっています。アート好きに限らず、多くの人と交流したい人や、
まちでの活動に興味のある人、千住地域や足立区でおもしろいことをやりたい人など、
自主的な活動を行う人々が参加しています」。

＊2：若林朋子「もう、ボランティアと呼ばないで―物語が生まれる居場所（サードプレ
イス）に集うアートな人々」（アーツカウンシル東京ブログ「見聞日常」、2016年
8月10日）の中で、ヤッチャイ隊やTERACCO（当時の表記はTERAKKO）が取り
上げられた。

＊3：ピアレビューの際に高村さんと事業計画書を読み直したことで、〈TERATOTERA〉
がミッションとして一般市民の人材育成を掲げていたことに気づく場面があった。

＊4：地元商店街の一角に構えたまちなか活動拠点（2012〜2013年）。元お豆腐屋だっ
たことからヤッチャイ隊とともにネーミングを決めた。〈音まち〉の熱気をじわじ
わと地域に広げていくべく、さまざまな企画がここで展開された。

＊5：ピアレビューを契機にヤッチャイ隊の変遷を振り返ったところ2つの「サポーター
のプレイヤー化」が起こっていた。1つは、ピアレビュー時点で、Aさん（本書、
p. 86-87, p. 91）に見られるように、ヤッチャイ隊としての活動はしていないが、
各企画のプロジェクトメンバーとして活動の主軸を移していったこと。もう1つは、
ヤ大として自主的なスピンオフ活動を立ち上げたこと。これらのことから、メンバー
の顔ぶれとしては決して全く姿を見なくなったというわけではないが、その活動の
色合いが年々変化していたことが、ヤッチャイ隊が減るという現象の一側面とも言
えそうだ。

よしだ・たけし

アートアクセスあだち 音まち千住の縁ディレクター。1984年生まれ。大阪府出身。京都
造形芸術大学芸術表現・アートプロデュース学科卒業。埼玉県北本市で実施された「北本
ビタミン」や東京都三宅島の「三宅島大学」などアートプロジェクトの事務局として企画
運営に携わる。その後、2014年には東京アートポイント計画のプログラムオフィサーに
就任。2015年より音まち事務局長、2018年より現職。

ながお・さとこ

アートアクセスあだち 音まち千住の縁事務局長。1983年神奈川県生まれ。東京藝術大学
音楽学部楽理科卒業後、同大学院音楽研究科音楽文化学専攻芸術環境創造分野修了。公共
ホール勤務を経て、東京アートポイント計画のプログラムオフィサーとして「墨東まち見
世」「三宅島大学」などを担当。2015年より東京藝術大学音楽環境創造科教育研究助手。
並行して音まち事務局に携わる。2018年より現職。

ピアレビューで、少し軽くなった心と体

高村瑞世 ［TERATOTERA事務局長］

TERACCO に求めていたこととは

　TERACCO（テラッコ）にとってどのようにTERATOTERA
に関わるのが喜ばしいことなのか。常日頃から、頭の中にも
やもやと渦巻く疑問だ。

　展覧会の監視係のようなかたちではなく、企画立案から広
報、企画運営、記録にまで活動が及ぶTERACCO。その負
荷はおそらくほかのアートプロジェクトより大きく、アート
の現場に関わる楽しさと厳しさをどこまでTERACCOに求
めていいのかは、いつも悩みとして抱えているところがあった。

　音まち千住の縁と、サポーターの属性のほか、事業予算な
どを比較し、その上で事務局のサポーターに対する考えや悩
みを共有した。そのときに吉田武司さんが何気なく発した
「TERATOTERAでは企画者を求めてるんですか？」という
一言に驚き、わたしの返答はしどろもどろになったと記憶し
ている。TERACCOへの応募には、アートの知識や経験は
必要なく、間口は広い。だけど確かにそのときのわたしは、
企画者または、将来アートに関わる仕事をすることを目標と
した人材を求めていたように思う。

　実際、TERATOTERAではアートの現場の担い手として
の人材育成にも力を入れているが、ウェブサイトにはそのこ

とを明記していなかった。その後一度は明記すべきと考えた
が、入り口を狭めてしまうことには大きな違和感があった。
2013年度から事務局長となったわたしも、2011年度から
TERACCOとしてこのプロジェクトに関わり始めている。
その頃はただ当時の仕事に飽きておもしろそうなことを探し
ていただけで、本当に軽い気持ちで参加したのだった。参加
してみると、作家と打ち上げで飲み交わす時間がとても楽し
く、アーティストの魅力に取り憑かれた。そして気がつけば、
ずぶずぶとのめり込んでいたのだと思い起こした。

　TERACCOとして何をすることが喜ばしいのか、その答え
はもちろんそれぞれに異なるだろう。入り口は広く、継続し
て関わってくれるTERACCOには、自身の興味に沿って、も
う少し深く踏み込んでもらうのが、TERATOTERAには合っ
ているのかもしれないと考えるようになった。

プロジェクトに全力で向かってしまう足を踏みとどめるために

　ピアレビュー後の2018年に、歴代TERACCOコアメンバー
16名によって、企画運営を担うコレクティブ「Teraccollective
（テラッコレクティブ）」を立ち上げることとなった。このコレク
ティブには、メンバーの1人として、TERATOTERAのディ
レクターと、わたしも参加している。それまでディレクター
が掲げていた企画テーマやコンセプトも、Teraccollectiveと
してメンバー全員で立案し、出展アーティストの選定から実
施運営まで、より深くこのプロジェクトを支えていくことと
なった。事務局は歴代TERACCOに少しずつ実務を託し、
その負担も軽減された。

　今となってみれば、わたしが企画者を求めていたのは、事務局長としての負担を背負いすぎていたからなのかもしれないと思う。今回のピアレビューは、次に来たるプロジェクトにどうしても全身全霊で向かってしまう足を踏みとどめ、サポーターのみならず、わたし自身のアートプロジェクトへの関わり方を見直す機会となった。

　わたしは、TERATOTERAとTERACCOがよりよい方向に変化していくことを一番に考えている自負があった。だけどその自負は、考えの幅を狭めていたのかもしれないと、振り返って思う。ただ、誰からの言葉でも素直に受け止められていたかと言うと、そうではない。似た経験を積んでいる他者だからこそ、意見をすんなりと受け入れ、冷静に考えることができたのだと思う。立ち止まって意見を交わす相手がピアであることは、極めて重要なことだったと実感している。

　同じ東京の空の下、孤軍奮闘する音まち事務局のメンバーを想像し、「さて、今日もこつこつとできることを1つずつ。がんばりましょう！」と心の中でつぶやきながら、ピアレビューに参加する前より少し軽くなった心と体で、一歩一歩、今日も次のプロジェクトへの歩を進めている。

たかむら・みずよ

1985年静岡県生まれ。設計事務所、制作会社に勤務する傍ら、JR中央線沿線上で展開するアートプロジェクトTERATOTERAに2011年よりボランティアスタッフとして関わり、約10店舗を舞台とした若手アーティストによる展覧会などを企画。2014年より、TERATOTERAの事務局長を務める。2013年よりアートスペース「モデルルーム」、2019年よりToken Art Centerの運営をしている。

ピアレビューの可能性とは？

評価論におけるアートプロジェクトの
ピアレビューの位置づけ

源 由理子 ［明治大学公共政策大学院ガバナンス研究科教授］

はじめに

　ご縁があって2018年8月に開催された&Geidai評価ラボ
「アートプロジェクトのピアレビュー」公開研究会に参加す
る機会を得た。そこでの報告や議論も踏まえ、本稿では、アー
トプロジェクトのピアレビューが評価論の中でどのように位
置づけられ、どのような可能性があるのかを考えてみたい。

　評価は誰が、どのような目的のために行うのかにより、そ
の方法論は多様である。どの方法が優れている、劣っている
という議論はあまり意味がない。評価の目的にそって評価結
果が活用されるという "行動" が伴うものであれば、それは
おそらく当事者にとっては "正しい方法" なのだ。評価方法
としてのピアレビューの特徴を把握するために、まず改めて
「評価」とは何かを確認し、アートプロジェクトのピアレビュー
として実施された3つの評価事例のレビューを行う。そして
アートプロジェクトの評価についての検討を行い、ピアレ
ビューの可能性を考えてみたい。

改めて「評価」とは

　「評価」といえば、ランキングとか人事評価とか、一方的に成績づけをされるというイメージが先行して、あまり良いイメージはもたれていないのが一般的だ。もちろんそれらも「評価」の一種であるが、社会課題の解決（たとえば、子育て支援、介護問題、子どもと貧困、環境問題など）や社会的価値の創出（たとえば、文化・芸術政策、地域づくり）のためのプロジェクトの評価は、プロジェクトそのものがより効果的なものになるための手段である。そもそも評価の英語表記である 'evaluation' は、ラテン語の接頭句である ex-（引き出すこと）と value（価値）を組み合わせた単語で、評価対象となるモノの価値やメリットを引き出していくことを意味する。そう考えると評価に取り組むことはおもしろい。

　社会的な介入であるそれらのプロジェクトは、初期の計画のままで成果をあげられることの方が少ないのではないかと思う。なぜならば、直接、社会や人間を対象とした事業は、活動を実施することによって想定できなかった影響を人々に与えたり、新たな課題が浮かび上がったりすることが多いからだ。そこで、継続的に評価を実践し、常に改善していくことが求められるのである。

　評価は実践であるので、必ず目的がある。評価の目的には大きく分けて、①アカウンタビリティの確保（資金提供者への説明責任）、②マネジメント支援（事業の形成・改善）、③知的貢献（科学的エビデンス、新たな知見の産出）の３つがある。それぞれの活用目的と事業の文脈ごとに、第三者が独立して評価を行う「外部評価」や組織内部の担当者による「自己評価」、あ

るいは関係者と協働で評価を行う「参加型評価」など、評価
の主体や方法論が異なってくる。したがって評価を実践する
際には、その活用目的をまず明確にすることが重要なので
ある。

　また評価には大きく分けて2種類のアプローチがあるとさ
れる。プロジェクトの形成・改善を目的とした「形成的評価」
と、アカウンタビリティの確保や科学的エビデンスの産出を
目的とした「総括的評価」である。形成的評価は、主にプロ
ジェクト実施中に行われるもので、評価の対象となるのは活
動の実施プロセスである。もし活動中の課題が明らかになっ
た場合は新たな方策を検討したり、プロジェクトを形成し直
したりする（改善する）ことにつなげていく。一方、総括的評
価は一定期間を経てからプロジェクトのめざしていたものが
達成されたのかどうかを評価するものである。

　今回のアートプロジェクトのピアレビューは、評価（ピア
レビュー）の対象となる団体がピアレビュアー（レビューをするパー
トナー）を選定し、自らが得る気づきをとおして各評価目的
の改善に活用した。しかもその評価目的は、後述するように、
成果の評価というよりも、運営体制や活動に関する実施プロ
セスの見直しである。その意味では、形成的評価のひとつの
手法と位置づけることが可能であろう。

アートプロジェクトのピアレビューの事例にみる特徴：
形成的評価の手法
　本書に収められている3つの事例の記述に基づき、アート
プロジェクトのピアレビューが「評価」としてどのように位

置づけられるのかを具体的に検討してみたい。

　まず、評価の目的（＝ピアレビューの結果得られた情報の活用目的）からみてみよう。「取手アートプロジェクト」（以下、TAP）は、今後の**活動の発展や改善のための気づきを得ること**を目的に掲げている（本書、p. 23）。また、「谷中のおかって」は、**運営体制や関わる人たちの役割を見直すこと**を目的に、「音まち千住の縁」（以下、音まち）は**サポーターの関わり方を見直すこと**を目的に行われた（本書、p. 51、p. 75）。いずれの事例もインタビュー調査と観察（相互視察）を情報・データ収集手段として取り入れているが、「音まち」はそれらに加えて、事業計画書、予算書の資料を相互交換し比較を行っている。

　ピアレビューのそれぞれの目的は、各団体で日頃から課題であると感じている点に焦点を当てているように思う。外部で決められた評価項目・基準による評価ではなく自らの問題意識に基づき評価設問や項目を決めていることから、ピアレビュー結果の活用度合が高まることが期待できる。また、インタビュー、観察といった質的調査が中心となっている点も特徴的である。これは、各目的が、プロジェクトの成果や地域へのインパクトではなく（総括的評価）、プロジェクトのあり方や運営体制、関係者の役割といったプロジェクトの実施プロセスに焦点を当てているからであると考えられる（形成的評価）。実施プロセスの評価には、実施体制や成果をあげるための活動が、どのように起きているのか、なぜそうなったのかといった質的データが必要になる。

　3つの事例では、ピアレビューの目的を自らが決めて、その上で自分たちと似た活動をしている団体をピアレビュアー

として選定しているが、そのレビュアーが外部第三者として、特定の基準をもとに「評価」(価値判断)を行っているわけでは必ずしもない。インタビューと相互視察をとおして、相互の意見交換のなかからピアレビューを依頼した団体自身が「学び」を得て、自らの事業の見直しにつなげようとしている。筆者は、その意味では、今回のアートプロジェクトのピアレビューは、事業の見直しを目的とした評価(=形成的評価)の、質的評価手法のひとつと捉えている。いわゆる論文のピアレビュー(査読)や、外部第三者の専門家による外部評価ではなく、第三者の視点で相互の活動を視察した後に感じたことを率直に意見交換し、そこからの学びを得て自らの活動に生かすという自己評価の作業である。「TAP」の報告にあるように「應典院の事例を触媒として、今現在の自分たちそれぞれが、自身の興味をいまいちど言葉にして外に出す」という振り返りの機会であったと思う。

　また「谷中のおかって」の事例報告では、「ピアレビュアー(竹丸氏)との対話から得られたさまざまな気づきが改善につながった」という。これは、他者の視点が自らの意識化を促進したという表れであろう。竹丸氏の言葉を借りれば、「自身の活動をメタに」見られる(本書、p.72)ということだろうか。

　「音まち」では、運営体制を客観的に比較したときに見えてくる自分たちの活動の特徴から、ヤッチャイ隊の課題に気づいた。ピアレビューをとおしてこれまでの活動の振り返りを行ったことで、2020年以降の音まちのビジョンをつくる上での布石になったという。ビジョンづくりは、組織のありようや活動の計画づくりを行う上で重要な作業である。ピア

レビューをとおして原点に立ち戻り、活動を見直すきっかけになったことがわかる。

　これらの3つの事例からわかるように、今回のピアレビューは（ピアレビューのイニシアティブをとった）各団体の内省を促し、自己評価能力の向上につながっているのではないかと思う。自己評価能力は、プロジェクトを継続的に改善していくために必要なスキルである。もとより、資金提供者への説明責任や社会に新たな価値を発信していくためには、成果をみる「総括的評価」も必要となる。ただ成果は、プロジェクトを継続的に改善していくことをとおして達成できるものであり、プロジェクトの運営組織の評価能力、あるいは振り返りの活動がまず基礎となる。その意味では、ピアレビューをとおして組織の運営能力が高まり、めざす効果を期待できるのではないだろうか。

ピアレビュアーとの対話をとおした気づきと価値生成

　以上みてきたように、今回のピアレビューの大きな特徴は、対話をとおした価値生成を団体自らが行っている点であろう。3つの事例ではピアレビューが当該団体の活動に直接関係していない第三者との間で行われている。ただし、通常のピアレビューと異なる点は、ピアレビュアーが何らかの基準に基づいて価値判断をしているわけではなく、団体自らが第三者との対話における「納得」を得て、価値判断をしている点だ。通常、第三者（本事例ではピアレビュアー）が評価を行うことの利点は、第三者の専門性に委ねることでより適切な判断根拠を提示してもらえる点にあり、その方法は客観性を保つため

に「独立型評価（評価される側との距離がある）」で行われること
が多い。たとえば、アメリカの教育分野においては、教師の
パフォーマンスを、ある一定の評価基準をもとに同じ教師で
あるピアレビュアーが評価することが行われている。

　今回のピアレビューがピアレビュアーとの対話をとおし自
らが価値判断するという自己評価の特徴を伴うのは、アート
プロジェクトの特性が影響しているのではないかと思う。評
価は科学でもあるのでその"客観性"というものを重視する。
どのような根拠に基づいて評価の価値判断をしたのかという
点である。ある活動や成果が「良い」、または「不十分だ」
という判断があるから、どのように改善すべきかが議論でき
るのだ。そのためにはあらかじめ「価値基準」なるものを決
めておくか、めざす状態（アウトカム）を明確化しておく必要
があるが、アートプロジェクトは多様な人々に起こる新たな
価値創造といった目的を掲げている点が特徴的で、あらかじ
め達成すべき目標や基準を想定することが難しいという特性
がある。また、地域や活動の文脈性が重要なので、他の地域
で使っている指標や基準をそのまま使うことはなじまない。
外からもたらされた基準による評価がプロジェクトの文脈を
考慮したものではない場合、評価結果は往々にして活用され
ない。つまり価値基準そのものを事業に関わる関係者で構築
していくという行為が評価に含まれる方が、活用につながる
のである。

　1970年代からアメリカで台頭してきた「参加型評価」と
いうアプローチは、このような議論の中から生まれた方法で
ある。プロジェクトの関係者が、それぞれの視点からプロジェ

クトの価値を議論した上で評価を行うことで、評価の活用度合いを高めるという手法である。そこには対話をとおして自分たちの価値基準を創り上げていくプロセスが含まれる。特に、現場で活動している実践家は問題を熟知しており、実践家が評価に参加することで現場に即した根拠の提示と評価、そして対応策の議論がより建設的に行われることが利点である（源、2016）。

　あらかじめ目的を明確に決められない（評価可能な指標がつくれない）プロジェクトの場合は、このようなピアレビューを繰り返し、自己評価能力をつけた上で、だんだんと目的の明確化を図っていくという取り組みも可能であろう（ただし当初から一定のめざしたい方向性はあるべきだろう）。

ロジックモデルとアートプロジェクトの評価〜試論

　これまでの考察を受けて、アートプロジェクトの評価におけるロジックモデルの活用について試論を述べてみたい。プロジェクトの評価を行う際に、道具として広く使われているものに「ロジックモデル」というものがある。ロジックモデルは、プロジェクトがめざすものをまず明らかにし、そのためには自分たちはどのような活動を効果的に展開できるのか、その手段と目的の因果性を可視化する道具である。たとえば、生活困窮家庭の子どもを支援するプロジェクトでは、子どもたちに居場所と食事の機会を提供し、学習支援をとおして（＝活動／手段）、子どもたちの自己肯定感が醸成され、将来に夢をもてるようになること（＝アウトカム）をめざしている。アートの分野は質的なことをめざしているので、ロジックモデル

のような構造化したものは適用できないという意見をよく耳にするが、私はそうは思っていない。なぜならば、どのようなプロジェクトにも、なぜそのような取り組みをするのかといった理由に裏づけられた目的（＝アウトカム）があるはずで、それを実現するための活動の組み合わせがあるからだ。めざす方向性を明確にすることで、それを効果的に実現するためにはどのような取り組みが必要かといった戦略的思考が可能になるのである。また、社会的課題解決や価値創造のためのプロジェクトは総じて人間や人間の集まりである「社会」の「質的側面」の変化をめざすものであるが、その定量化は可能である。

　しかしその一方で、前述したように、アートプロジェクトは「これを達成したら成功」といった、めざしている状態に指標などを用いて事前に具体化することが難しいことも事実である。いや、むしろ、アートプロジェクトで具体的な目標や指標をあらかじめ設定するという行為自体に矛盾があるという考え方もできるのではないか。TAPを例にとって考えてみよう。TAPはさまざまな市民たちが取手市（行政）と東京藝術大学（大学）と協働で行っているプロジェクトである。そのめざすところは、「取手のまちをフィールドとして、アーティストの活動支援と、市民の芸術体験・創造活動の仕組みづくりによる芸術表現を通じた新しい価値観の創造」であるという（本書、p. 24）。価値観の創造の場では、関わる人々－たとえばアーティストや地域住民－の間で、創造意欲への刺激や、市民参画の過程における市民自身の意識変容など、それぞれの価値変容に関わる出来事が起こるであろう。その現

れ方は多様であり、各人がどのように咀嚼し、自分たちの中に蓄積していくのかは異なる。TAPはその規模から地域への経済波及効果を期待することは難しいが、新たな価値や市民のエネルギーを生み出しているという（熊倉、2009）。それをどう評価するのか。ここでひとつ明らかなことは、あらかじめ設定した指標と目標値による比較はなじまないという点であろう。おそらく、自己の振り返りにより（過去との比較）自分自身の変化を言語化し、可視化するという行為になるのではないか。その場合は、その行為—振り返りの行為—そのものをアートプロジェクトの活動のひとつとして位置づけることにより、内外に向けて成果を発信する評価の仕掛けが可能なのではないか（筆者自身がアートプロジェクトの評価に直接従事したことがないため、あくまでも試論であるが）。

　これはプロジェクトに関係する人々、たとえばアートプロジェクトのスタッフ、アーティスト、サポーター、ボランティア、市民などが参加して一緒に評価を行う参加型評価のアプローチでもある。内部評価の拡大版であり、その過程は相互学習やエンパワメントの場でもあるので、今まで傍観者であったかもしれない人たちが当事者へと変容していく契機にもなる（源、2016）。その場合のロジックモデルは、活動を進めるプロセスでだんだんと明確になっていく、あるいはプロジェクトの成熟度が増すに従い、それまでの振り返り・評価結果を踏まえて構造が明らかになってくるという性格のものかもしれない。

　アートプロジェクトにとって、「当事者が活用しやすい構造化のモデル」を創り上げることで、関係者間の共通理解と

プロジェクトの可視化が進むことを期待したい。そして、ピアレビューやその他の評価のアプローチをうまく組み合わせることで、その構造を継続的に改善、変革していくことができるのではないだろうか。

まとめにかえて：アートプロジェクトのピアレビューへの期待

　冒頭に述べたように、評価には必ず目的がある。その目的によって外部評価による成果検証を行う総括的評価が必要なときもあれば、組織内部あるいは関係者の参加による省察を含めた形成的評価が有効なときもある。評価が、ある社会的活動の価値を高めるものであるとしたら、双方の取り組みが必要であろう。今回のアートプロジェクトのピアレビューは形成的評価のひとつの手法として有効である。形成的評価は変化することをいとわない、より効果的な取り組みを検討するための評価である。そして「評価」であるからには、自分たちの思い込みで振り返りを行うのではなく、第三者の視点と交わることでより客観的に活動を見直し、改善につなげていく。特にアートプロジェクトには、「プロジェクトの継続のなかで発酵あるいは熟成され、そこからおもいかげない産物が生まれたり、それをさまざまな人と分かち合ったりする」（谷中のおかって：渡邉氏）という特徴があるとされる。その発酵の過程では活動の見直しが当然あるだろうから、継続的に「発展していく」ことを支援する評価が必要なのである。また、ピアレビューのあとにビジョンの見直しやプロジェクトの改善を行い、一定の活動をしたあとに、プロジェクトがどのような影響を社会に与えているのか、活動をとおしてどのよう

な価値を生み出しているのかについて、立ち止まって検証する総括的評価も今後取り組んでいただきたいと思う。

[参考文献]
・熊倉純子「地域文化資源とプロジェクト・マネジメント　Case Study2:取手アートプロジェクト」、小林真理・片山泰輔監修／編『アーツ・マネジメント概論』(水曜社、2009年)
・源由理子編著『参加型評価―改善と変革のための評価の実践―』(晃洋書房、2016年)

みなもと・ゆりこ
明治大学公共政策大学院ガバナンス研究科教授、明治大学プログラム評価研究所代表。国際協力機構（JICA）等を経て現職。専門は、評価論、社会開発論。改善・変革のための評価の活用をテーマとし、政策・事業の評価手法、評価制度構築、参加型・協働型評価に関する研究・実践を積む。最近は、評価の過程におけるステークホルダー間の「対話」と価値創造、それを可能にする評価ファシリテーションの機能に注目している。プログラム評価研究所では自治体、NPO、財団、企業のCSR等の評価実践現場を支援。国際基督教大学卒、東京工業大学大学院社会理工学研究科博士後期課程修了、博士（学術）。

目標を定め、達成するための手法「ロジックモデル」
──社会的インパクト評価の方法論として

槇原 彩 ［東京藝術大学大学院音楽研究科音楽文化学専攻芸術環境創造博士後期課程］

「ロジックモデル」とは

　ここでは、本書でたびたび登場する「ロジックモデル」について簡単にまとめてみたい。

　ロジックモデルとは、「事業やプロジェクトの成果を評価するための理論的フレーム」（吉澤、2019：p. 17）のことであり、行政評価や国際協力評価など、幅広い分野で使用されてきた。基本的には、「結果までの道筋を示すフレームワーク」（若林、2019：p. 33）として、「もし〜なら、こうなるだろう」という目標を達成するまでの仮の道のり（図1）を示していくことになる。

　図1のように、アウトカムについては「直接アウトカム」「中間アウトカム」「最終アウトカム」と細分化されることもあり、このとき「最終アウトカム」はインパクトと同義で使用される場合もある。この道のりについて大きな変化はないが、アウトカムの段階を増やすなど、その細部については、評価をする対象の分野や規模、計画の長短に合わせて、柔軟に形を変えて使用されている。

本書にも寄稿いただいた源由理子氏は著書『参加型評価』のなかで、ロジックモデルは、「計画段階であらかじめ目標を明確に設定する必要がある施設建設や設備整備などのプログラムにはあまり抵抗なく適応できる」（源、2016：p. 38）と述べている。つまり、ロジックモデルを評価のツールとして使用する場合は、最終的にめざす目標や結果（インパクトや最終アウトカム）を、事業開始前または事業初期段階にまずはっきりと定めることが必要であるということだ。加えて、目標までの道のりを示すだけでは、ロジックモデルによる評価とは言

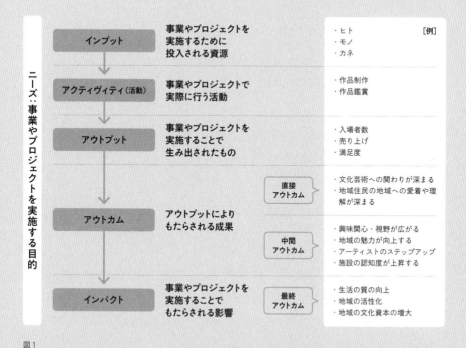

ニーズ：事業やプロジェクトを実施する目的

		[例]
インプット	事業やプロジェクトを実施するために投入される資源	・ヒト ・モノ ・カネ
アクティヴィティ（活動）	事業やプロジェクトで実際に行う活動	・作品制作 ・作品鑑賞
アウトプット	事業やプロジェクトを実施することで生み出されたもの	・入場者数 ・売り上げ ・満足度
アウトカム	アウトプットによりもたらされる成果	直接アウトカム：・文化芸術への関わりが深まる　・地域住民の地域への愛着や理解が深まる 中間アウトカム：・興味関心・視野が広がる　・地域の魅力が向上する　・アーティストのステップアップ　・施設の認知度が上昇する
インパクト	事業やプロジェクトを実施することでもたらされる影響	最終アウトカム：・生活の質の向上　・地域の活性化　・地域の文化資本の増大

図1
参考：吉澤弥生「『評価』の用語集：ロジックモデル」「ARTS NPO DATABANK 2018-19『実践編！アートの現場からうまれた評価』」（NPO法人アートNPOリンク、2019年）／GSG国内諮問委員会 社会的インパクト評価ワーキング・グループ「社会的インパクト評価ツールセット 文化芸術」http://www.impactmeasurement.jp/

えない。ロジックモデルは目標や道のりを設定するだけではなく、「想定していた結果と実際を比べてズレの原因を考えたり、アウトカムや社会的インパクトを実測することで、初めて評価として機能する」（若林、2019：p.33）からである。

アートプロジェクトと「ロジックモデル」

　では、なぜ近年、アートプロジェクトや芸術祭などの評価手法として「ロジックモデル」に関心が集まっているのだろうか。ひとつは、アートプロジェクトや芸術祭などを主催、または資金提供する行政において、もともと評価ツールとして使用されていたという背景がある。

　アートプロジェクトや芸術祭などのパートナーとして行政が出資する場合、その予算を確保し続けるために、行政側の担当者は財務部署などの他セクションに対して説明責任を果たさなければならない。そこで必要不可欠となるのが評価であり、自分たちに馴染みのある評価ツールを使用したほうが、話が通じやすいという点がある。

　もうひとつは、2017年に社会的インパクト・マネジメント・イニシアチブのウェブサイトに「社会的インパクト評価ツールセット 文化芸術」の実践マニュアルが公開されたことである。このツールセットでは、文化芸術の事業におけるロジックモデルをもちいた社会的インパクト評価の手法が丁寧に説明されているだけでなく、ロジックモデルを実践的に使いこなすためのアウトカムの指標や測定方法なども掲載されている。

　従来のアンケート調査による参加者／来場者数の男女比、年齢、出身地や、プログラム満足度、経済波及効果を中心と

した事業終了後に行われる定量的な総括的評価などに対し、ロジックモデルは、実現しようとする目的に対してプログラムを形成するロジックが適切に組み立てられているかを検証するものであり、プロジェクトの企画段階や実施途中に行う形成的評価でもちいられる傾向がある。つまり、数字などはっきり形として残るものを対象とした対外向けの評価ではなく、その内部に焦点を当て、自分たちのプロジェクトが正しく動いているかを知る内省的な評価のツールとして利用されているといえるだろう。たとえば、後述の「北アルプス国際芸術祭」は、開催報告書を「開催報告編」と「評価・分析編」に分けており、「評価・分析編」はロジックモデルを使用した内省的評価としての好例であるといえる。

アートプロジェクトに「ロジックモデル」は馴染まない?

　アートプロジェクトや芸術祭などでロジックモデルが普及しはじめた一方で、その評価にロジックモデルは馴染まないともいわれている。なぜならば、ロジックモデルの大きな特徴でもある「計画段階であらかじめ目標を明確に設定する」という部分に、多くのアート関係者が違和感を感じてしまうからだ。

　そもそも、「人間を対象とするプログラムでは、人々の認識や行動変容といった『不確実な』現象の変化を前提としているだけに、因果律の計画論をあてはめることは難しい」（源、2016：p. 38）と源氏も述べており、特に福祉や教育、コミュニティ開発などの分野でロジックモデルを使用することは難しいとされてきた。

　この「計画段階であらかじめ目標を明確に設定する」とい
う視点だけを取り出すと、アートプロジェクトや芸術祭など
の評価において、ロジックモデルは欠点となる可能性を孕ん
でいる。事実、アートプロジェクトや芸術祭などについて実
際に外部評価やそのプロジェクトに伴走しながら評価を行っ
ている評価研究者たちも以下のように述べている。

　　昨今普及が進むロジックモデルやセオリーを活用した
　社会的インパクト評価も、芸術・文化領域では、なじむ
　事業となじまない事業がある。評価で厳密さや標準化を
　極めすぎると、評価のための評価に陥り、芸術・文化活
　動の自由闊達さをうばいかねない。元来、芸術は計画通
　りにはいかず、予測不可能である。何が生まれるのか想
　像もできないからこそ、人々は生み出されたものに圧倒
　され、人生を変えるほどの衝撃を受ける。そうした芸術
　の特質に縛りをかけるような評価だとすれば、創造の均
　質化を招きかねない。(若林、2019：p.38)

　　現実の世界、特に現代社会は複雑で不確実性に満ちて
　おり、一度作成したロジックモデルを後生大事に守ろう
　とすると、現実に適応できず失敗を招くという批判がある。
　　この批判に対するシンプルな回答は、事業環境などの
　前提条件が変化したり、事業プロセスが計画どおりに進
　行しなければ、ロジックモデルを変えてもよいし、むし
　ろ積極的に変えるべきだというものである。たしかに政
　策評価、行政評価の世界では、一度決めた計画を金科玉

条の存在とみなしがちだが、創造性、柔軟性を要する事業分野、特に芸術文化分野においてはそうした発想はときとして致命的である。

（アーツ・コンソーシアム大分『平成30年度アーツ・コンソーシアム大分構築計画実績報告書 文化と評価ハンドブック』、2019年：p. 29-30）

確かに、設定された目標に準じた結果にしか焦点が当たらなかった場合、そこからは、アートやアーティストを投入することで起こる、はじめは想像もしていなかったような効果について読み取ることはできない。それはすなわち、そこに生まれたはずの「なにか」が、評価されないということでもあるのではないだろうか。『平成29年度アーツ・コンソーシアム大分構築計画実績報告書 〜クリエイティブな文化と評価へ〜』のなかでは、「アートプロジェクトというものは──ストレートに言えばアーティストという存在は、創発性（Emergence）の塊である。アートとは新たな価値を不断に創出していくプロセスであり、ある種のイノベーションといえる。このため、事前に100%を計画することは困難だし、あえて強行すれば、予定調和なありきたりの成果しか生まない。」(p. 55) とも述べられている。

　工業製品の検品のように、それぞれの段階で歪みを取り除いていくことは、従来ロジックモデルが使われてきた施設建設や設備整備などの分野では必要不可欠な作業だと言える。しかしながら、アートプロジェクトや芸術祭などを対象としたとき、設定された目標からこぼれ落ちた「なにか」や、思わず生じた歪みは、はたして価値のないものなのだろうか。

それぞれのプロジェクトに合わせた評価手法を開発する

　以上を踏まえたうえで、なぜ評価をしなければならないのか、誰に向けた評価なのか、自分たちが導き出したい評価とはどのようなものなのかを考え、ロジックモデルを基礎としながらもそれぞれのプロジェクトに合った評価を模索することは可能だと、筆者は考える。事実、前述したNPO法人アートNPOリンク、アーツ・コンソーシアム大分の報告書でもロジックモデルの可能性について言及されている。つまり、ロジックモデルはアートプロジェクトや芸術祭などの評価手法として、全く馴染まないというわけでは決してない。むしろ、明確な目標や道のりを設定しなければ、いったいそこから「なにが」こぼれ落ちたのかさえもわからないし、その歪みにさえ気づかないかもしれない。さらにいえば、ロジックモデルの流れからこぼれ落ちた「なにか」について、ピアレビューなど他の評価手法と組み合わせて重層的に観察することで、「見えない価値」を可視化する試みもできるはずである。

　アートプロジェクトや芸術祭などにおけるロジックモデルを使用した評価事例としては、たとえば「六本木アートナイト」ではステークホルダーごとにロジックモデルを作成しており、来場者や出資者、企業等協賛者、地域住民など、それぞれの関係者の立場ごとに、最終アウトカムを定めている。また「北アルプス国際芸術祭」では、ロジックモデルに沿って、計画・制作業務（インプット、アクティビティ）などのプロセス部分の評価と、期待される結果・効果（アウトプット、アウトカム、インパクト）を検証する事後評価を行っており、事業実施のプロセス評価（推進体制、広報・誘客、気運の醸成など）を開催報告書にあげているのは特徴的だ。

　「評価疲れ」が叫ばれる昨今、必要なのは、既存の評価手法にとら

われず、アートプロジェクトや芸術祭などが社会にもたらす
この「見えない価値」を「新たな価値」として評価するため
の仕掛け（源、本書：p.111）を模索することなのかもしれない。

［参考文献］
・『ARTS NPO DATABANK 2018-19「実践編！アートの現場からうまれた評価」』（NPO法
　　人アートNPOリンク、2019年）
・吉澤弥生「『評価』の用語集」（同上）
・若林朋子「再考：芸術・文化領域における評価」（同上）
・北アルプス国際芸術祭実行委員会『北アルプス国際芸術祭2017〜信濃大町 食とアート
　　の回廊〜 最終開催報告書』（2018年）
・源由理子編著『参加型評価 —改善と変革のための評価の実践—』（晃洋書房、2016年）
・GSG 国内諮問委員会 社会的インパクト評価ワーキング・グループ『社会的インパクト
　　評価ツールセット 文化芸術』http://www.impactmeasurement.jp/
・アーツ・コンソーシアム大分『平成29年度アーツ・コンソーシアム大分構築計画実績
　　報告書 〜クリエイティブな文化と評価へ〜』（2018年）
・アーツ・コンソーシアム大分『平成30年度アーツ・コンソーシアム大分構築計画実績
　　報告書 文化と評価ハンドブック』（2019年）
・六本木アートナイト実行委員会『六本木アートナイト事業評価報告書2018』（2019年）

まきはら・さや

専門は、音楽文化学や芸術環境、文化政策、アートマネジメントなど。愛知県立芸術大学
にて音楽学を学ぶ。卒業後、公共ホールにて音楽事業の企画制作を約3年間担当したのち、
東京藝術大学大学院音楽文化学専攻芸術環境創造に進学し、アートプロジェクトの世界へ。
現在、NPO法人音まち計画に事務局スタッフとして従事しながら、同大学院博士後期課
程に在学中。研究と現場を往還しながら、社会と芸術をつなぐ役割となるべく試行錯誤の
日々。山口県出身。

おわりに
──見えない価値を可視化する

　昨今、世の中には「成績表」の嵐が吹いています。企業の業績は数字で測りやすいものですが、数値化しにくい非営利の分野でも業績評価が求められています。

　政府はEBPM（evidence based policy making）の名のもとに、これからの政策立案はなんらかの目に見える根拠に基づいたものしか認めないという方向性を示しています。確かに、税金を使って行われる施策がいきあたりばったりでは困るというのが世論の趨勢で、成熟した市民社会においてこうした流れは必然なのかもしれません。

　この潮流が生み出した「社会的インパクト評価」およびその手法である「ロジックモデル」は、英国のアーツカウンシル（芸術への中間支援を行う組織）など、欧米や英国の影響の強い東南アジア諸国において文化の分野でも広く適応しており、その広まりとともに「芸術現場の評価疲れ」や「文化活動を成果目標ありきで組み立てることで、活動がどんどんおもしろみがなくなり、現場が委縮する」といった否定的な側面も報告されるようになっています。特に活動の成果（アウトカム）の指標設定はやっかいですし、さらに行政はその指標を数値目標として求めたがる傾向があり、アートの現場を困らせる要因となります。

　本書は、日本においてそうした懸念が現実のものとなることを心配しつつ、ロジックモデルのカウンターパートとして「ピアレビュー」という手法を提案したものです。

もちろん、税金や助成金など公的資金の出資者に対する説明責任（アカウンタビリティ）を果たすためには、やはり社会的インパクト評価が必要でしょう。また、客観的な価値化のボキャブラリーが豊かであれば、ロジックモデル作成の作業は、アートの現場にとって有意義かつエキサイティングなものとなることも事実です。

　けれども、「合目的でないことが最大の利点」である芸術活動の現場が、無防備にロジックモデルに取り組むと、評価活動が独り歩きして、文化にとっては本末転倒な道筋にもなりかねません。ピアレビューは、他の非営利の現場同様、アートの分野においても、客観的な評価作業を硬直化させずに楽しむコツをつかむための方法であり、本格的な社会的インパクト評価への助走とすることも可能です。

　アート活動の社会的価値が、現場の人々には案外見えづらいことも多いなか、見えない価値を可視化する体力づくりの第一歩として、ぜひピアレビューに取り組んでみてください。みなさんがピアレビューに取り組んだ感想を分かちあえる日がくることを、本書に携わったみなで楽しみにしています。

2020年2月

熊倉純子

〈アートアクセスあだち 音まち千住の縁〉のプログラム「野村誠 千住だじゃれ音楽祭」から、「千住の1010人 in 2020年」プレイベントの様子。公募で集まった市民による音楽団体「だじゃれ音楽研究会」を中心に活動している。

&Geidai ピアレビューの歩み

「&Geidai」で、ピアレビューを研究・実践してきた講座を以下に一覧化する。

本書は、文化庁「大学を活用した文化芸術推進事業」（2018年度より「大学における文化芸術推進事業」）に採択され、2016〜2018年度の3年間、東京藝術大学大学院国際芸術創造研究科が開講した「グローバル時代のアートプロジェクトを担うマネジメント人材育成事業『&Geidai』」での実践をもとに作成しました。

＊本書における所属・肩書きは開講当時のものです。

2017年度
【理論と実践編】冬季 交流ラボ
「ピアレビュー勉強会」

事前に3つの主催プロジェクトがそれぞれ、自身の事業内容や組織体系の似通ったプロジェクトを探してピアレビューの実践を依頼した。当日は主催プロジェクトたちとそのピアプロジェクトが一堂に会し、若林朋子氏を講師に迎えて、ピアレビューについて勉強会を行った。また、各プロジェクトが自身のプロジェクト内容について紹介、プロジェクトを実施するなかでの悩みなどを共有し、相互評価（ピアレビュー）の観点を定めた。

日時：2017年12月20日（水）
場所：東京藝術大学千住キャンパス（東京都足立区）
講師：若林朋子（立教大学大学院21世紀社会デザイン研究科特任准教授）
コーディネーター：熊倉純子（東京藝術大学大学院国際芸術創造研究科教授）
発表者：羽原康恵（事務局長）[取手アートプロジェクト]／渡邊梨恵子（代表）[谷中のおかって]×竹丸草子（コーディネーター）[芸術家と子どもたち]／吉田武司（事務局長）[アートアクセスあだち 音まち千住の縁]×高村瑞世（事務局長）[TERATOTERA]
リサーチアシスタント：槇原 彩（東京藝術大学大学院音楽研究科音楽文化学専攻芸術環境創造博士後期課程）

【理論と実践編】冬季 交流ラボ
「ピアレビュー報告会」

前回の「ピアレビュー勉強会」で定めた相互評価の観点をもとに、各主催プロジェクトとそのピアプロジェクトが、事前に互いの現場を見学、また資料などを参照し合った。当日は、ピアレビューの結果を報告し、その報告について講師の若林朋子氏よりフィードバックをもらい、ピア同士では気づかなかった視点や、見

落としていた点などを補足した。この頃より、編集者に参画してもらい、本書のプロジェクトもスタートした。

日時：2018年2月22日（木）
場所：東京藝術大学千住キャンパス（東京都足立区）
講師：若林朋子
コーディネーター：熊倉純子
発表者：雨貝未来（事務局スタッフ）[取手アートプロジェクト]×秋田光軌（主幹）[應典院]／渡邊梨恵子・大西健太郎（ディレクター）・富塚絵美（ディレクター）[谷中のおかって]×竹丸草子[芸術家と子どもたち]／吉田武司[アートアクセスあだち 音まち千住の縁]×高村瑞世[TERATOTERA]
リサーチアシスタント：槇原 彩

2018年度
【理論と実践編】評価ラボ
「アートプロジェクトのピアレビュー」

昨年度に実施したピアレビューの成果を引き継ぎ、公開研究会を実施した。評価の専門家である源由理子氏を講師に迎え、アートプロジェクトのピアレビューに関する概論や実践事例をもとに、日本のアート領域でまだ方法論化されていないピアレビューによる評価の可能性を検証した。

日時：2018年8月5日（日）
場所：東京藝術大学上野キャンパス（東京都台東区）
講師：若林朋子、源由理子（明治大学公共政策大学院ガバナンス研究科教授）、熊倉純子
発表者：羽原康恵[取手アートプロジェクト]／渡邊梨恵子・富塚絵美[谷中のおかって]／吉田武司（ディレクター）[アートアクセスあだち 音まち千住の縁]×高村瑞世[TERATOTERA]
リサーチアシスタント：槇原 彩

＊順不同・敬称略／肩書きは初出のみ掲載

ピアレビューを実践してみよう！

ピアレビューは、パートナーを探し
「ピアレビューを一緒にしませんか?」と、依頼することからはじまります。
ファーストコンタクトはどんな方法でもかまいません。一例を紹介します。

〇〇さま

はじめまして。突然のご連絡を失礼いたします。

_____（場所）で _____（アートプロジェクト名）というアートプロジェクトをしている _____（団体名 or 個人名）と申します。

ピアレビューでは、お互いの現場を視察し合うことも。プロジェクトを実施している場所を明記すると親切です。

現在私たちは、お互いのプロジェクトを評価し合う「ピアレビュー」のパートナーになっていただけるプロジェクトを探しています。
「ピア」とは「同僚や仲間」のことで、「ピアレビュー」は、自分たちと似通ったプロジェクトの視点を借りて自身を見つめ直す、映し鏡のような評価手法です。

このたびは、_____さまに、この「ピアレビュー」のパートナーをぜひお願いできればと思い、ご連絡をさせていただきました。

自分たちのプロジェクトとパートナーとなってもらいたいプロジェクトはどこが似通っているのかを簡潔に伝えましょう。自分たちのプロジェクトの自己紹介にもなります。

〇〇さまと、私たちのプロジェクトは、_____
_____
_____
というような点が、似通っていると思っています。

「ピアレビュー」の詳細、実施手順や実践事例については、同封しております『アートプロジェクトのピアレビュー――対話と支え合いの評価手法』をご覧いただけますと幸いです。

急なご連絡、またご依頼となり大変恐れ入りますが、
何卒ご検討いただけますと幸いです。
お返事をお待ちしております。

〇〇より

お手紙で依頼する場合は、この本をぜひご同封ください！

アートプロジェクトのピアレビュー
——対話と支え合いの評価手法

2020 年 3 月 22 日発行

監修・編著	熊倉純子
編著	槇原 彩
特別寄稿	源 由理子
	若林朋子
執筆協力	取手アートプロジェクト
	應典院
	谷中のおかって
	芸術家と子どもたち
	アートアクセスあだち 音まち千住の縁
	TERATOTERA
編集協力	佐藤恵美
デザイン	山田和寛＋平山みな美 ［nipponia］
イラストレーション	武藤舞子
漫画	石山さやか

発行人	仙道弘生
発行所	株式会社水曜社
	〒160-0022　東京都新宿区新宿 1-14-12
	TEL: 03-3351-8768　FAX: 03-5362-7279
	suiyosha.hondana.jp
印刷所	日本ハイコム株式会社

アートプロジェクト

芸術と共創する社会

熊倉純子 監修　菊地拓児・長津結一郎 編

978-4-88065-333-4　B5変判 368頁　本体3,200円

1950年代〜80年代をアートプロジェクト「前史」、90年以降の様々な試みを「アートプロジェクト」と位置づけ、美術史的文脈と社会的背景を切り口として、その変遷とアートと社会のあるべき姿を提示する。

ソーシャルアートラボ

地域と社会をひらく

九州大学ソーシャルアートラボ 編

978-4-88065-446-1　A5判 240頁　本体2,500円

ソーシャルアートラボに関わる研究者、アーティスト、実践家たちが、自らの試行錯誤や実践をメタ的な視点から語り、新たな知見を生み出すことを目指し、社会おけるアートのあり方を再考する。

全国の書店でお買い求めください。価格はすべて税別です。